「問い」から始まる哲学入門

景山洋平

光文社新書

プロローグ

本書は、人間の言語活動である「問い」を視座として、哲学の基本問題を概説します。「問う」とは何をすることでしょうか。しばしば「自分の問いを持て」と職場や学校では言われます。そこでは、解決すべき社会のニーズや、解明すべき学問上のテーマを自分で見つけだすことが要求されます。また、個人の生活でも、進学や就職、転職、さらには結婚など人生の分かれ道で、自分がどう生きるべきか、私たちは自分に問いかけます。そこで求められるのは自分に本当にふさわしい選択について熟慮することです。さらに、社会や人類に関わる、もっと大きな問いもあります。たとえば、どのような年金制度をつくるべきか、隣国とどのように付きあっていくべきか、という政治上の問いがあります。また、気候危機のような地球規模の事柄にどのように対処すべきかという、人類の生存をめぐる問いもあります。

これらの「問い」に「答え」はあるでしょうか。もちろん、学校や職場に満足したり、多くの人が納得できる年金制度をつくれば、それは一定の答えです。けれど、その答えは暫定的なものにすぎません。つまり、あらゆる疑問を消しさる完全な解答ではありません。現在の学校や職場に満足できているのは実際にそこに身を置いている視点からそう思うだけであって、別の学校や職場に進んでいれば本当はもっと充実した生活を送っていたかもしれません。また、多くの人が納得できる年金制度があったとしても、当然納得していない人に我慢してもらって制度ができるわけだし、納得した人でも他人に妥協しているはずです。そうすると、「答え」があるといっても、いつでも私たちは、別の選択もできる分かれ道で迷いつづけています。「答え」は「問い」を新しく生み出すだけです。この無力さには、人間であることの根底の哀しみがあります。

かくも終わりなく、おぼつかない境遇を繰り返すだけなら、「問う」とは虚しい行為ではないでしょうか。むしろ、問うことなどしないで、そのつどのなりゆきに身を任せるほうが幸せではないでしょうか。問うためには世界の不確かさから目をそむけずに受けとめなければなりません。それだけでも大変なのに、一生懸命自分の問いに取りくんでも結局は別の不確かさに直面してしまうのだとしたら、そんなことをしても徒労でしょう。古代ギリシア神話のシーシュポスのように、冥界で永遠に巨岩を運び上げるような虚しさがそこにはあります。

けれど、私たちは問うべきです。なぜなら、不確かさに向かいあって問うことは、不確かな世界のただなかに身を置く私たちの生を肯定して引き受けることだからです。この世界には、数えきれない無数の人びとがそれぞれのかけがえのない人生を生きていて、夜空の星々のように、謎に満ちたそれぞれの現実に向かいあっています。「問う」とは、みずから自身のうちにその光を見いだし、いわば、人間であることをあらためて取り戻す行為です。

本書のねらいは、哲学に固有のさまざまな「問い」を、人間であることに他ならないこうした「問い」の「賛歌」として示すことです。賛歌は英語でヒム（hymn）ですが、その語源である古代ギリシア語のヒュムノスはもともと神々や英雄を称賛する歌を意味しました。これに対し、本書の賛歌は、もちろん読者の皆さんもふくめて、人間へ向けられています。人間は、今を生きるために、不確かな未来へと問いかけます。その問いは、人の生の果てしない多様さにおうじて、人生の選択から年金制度や気候危機までさまざまです。けれど、問いの言葉は、本人の存在を超えて、言葉を受けとめる他者へと繋がっています。人びとは、問いの言葉をつむぎあって、多様な問いが繰り広げられる唯一の場所を織りなします。哲学の問いがめざすのは、この唯一の場所へとさかのぼり、問いかける人間そのもののありかたを明らかにすることです。

ただし、哲学は「人間とはこういうものだ」と上から目線で語ったりできません。むしろ、哲学は、哲学者自身には決して手が届かない、それぞれの現実を生きる無数の人間の心のうちを言葉のあて先とします。誰かが受けとめて、自分だけの「問い」を生きる可能性に気づいてくれることを願う、そうした言葉の営みが哲学です。この意味で、哲学の「問い」は人間の賛歌です。

叙述（じょじゅつ）は次のように進んでいきます。はじめに、本書の視座である「問い」がなぜ哲学的に重要なのかを説明します。そこでは、「問い」こそが21世紀の哲学の根本課題であることが示されます。「問い」という言語活動は、哲学が論じるさまざまな事象をつらぬく不確かさをあらわにする、哲学の究極の源泉です。

次に、哲学のさまざまな基本テーマについて、「問い」を視座として概観します。具体的には、存在、神、カテゴリー、実在、世界、時間と空間、自己と他者、身体、誕生と死といった概念についてお話しします。これらは、私たちが生きる現実の一番の基本となるものです。人の生活は各人各様ですが、皆さんも、他のすべての人びとも、みんなこれを前提としています。それゆえ、これを学ぶことで、人が生きる現実の全体を見晴るかす普遍的な視野が開かれます。ただし、そこには、「これだけが真理だ！」と決定できるような唯一の「答え」はありません。現実そのものが不確かだからです。この不確かさゆえに、現実のすべて――問うもの自身をふくめ――は、不確かさに向きあう「問い」に集約され、そこから新しく現れでます。

これらの概念は、人生の悩みや年金制度などの具体的な「問い」にはただちに繋がりません。むしろ、哲学の役割は、さまざまな選択の手前で、不確かさに向かいあって迷う人間そのもののありかたをとらえることです。日々の生活で苦しむにせよ、気候危機への対処で悩むにせよ、私たちが面前する現実の不確かさそのものを自覚し、それを幅広い視野からとらえなおさなければなりません。哲学の一見してとても抽象的な議論は、そのためにあります。ここから、哲学の「問い」は、個々人の生の「問い」に、そして、何かを選びとる決意に繋がってゆきます。

本書は、哲学に興味のある社会人や学生に向けた「哲学入門」として執筆されています。また、哲学にさほど興味のない方にも、「哲学って、はじめて読むけど、こんな話をしているのか」と哲学の基本問題に見通しを持ってもらえるよう、重要な哲学者の名前や基本的な学説についてもある程度はお話しします。けれど、専門用語や哲学者の名前がわからなくても事柄を理解できるように本書は書かれています。わからない言葉は気にしないで読み飛ばしてください。哲学が問いかける言葉は、哲学者だけのものでないどころか、そもそも哲学者の所有物でなく、その言葉が皆さんに受けとめられて、皆さん自身の「問い」が始まるために存在します。

#「問い」から始まる哲学入門　目次

第3章 実在への問い——127

第４章　「私」とは誰か——187

第1章

問うものとしての人間

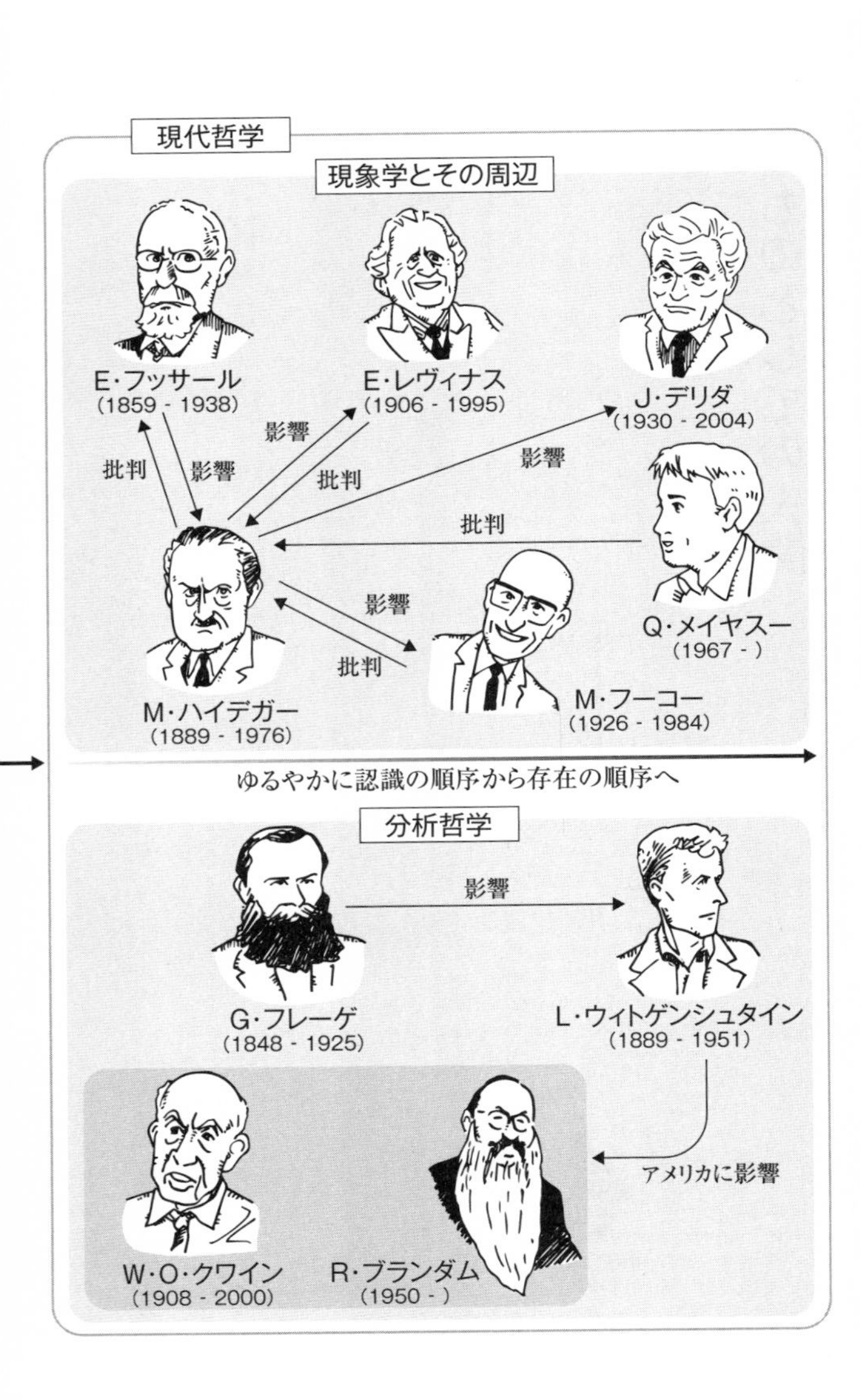
現代哲学
現象学とその周辺
E・フッサール
(1859 - 1938)
E・レヴィナス
(1906 - 1995)
J・デリダ
(1930 - 2004)
影響
批判
影響
批判
影響
批判
Q・メイヤスー
(1967 -)
影響
批判
M・ハイデガー
(1889 - 1976)
M・フーコー
(1926 - 1984)
ゆるやかに認識の順序から存在の順序へ
分析哲学
影響
G・フレーゲ
(1848 - 1925)
L・ウィトゲンシュタイン
(1889 - 1951)
アメリカに影響
W・O・クワイン
(1908 - 2000)
R・ブランダム
(1950 -)

哲学における語りあいの歩み（第1章の主な登場人物）

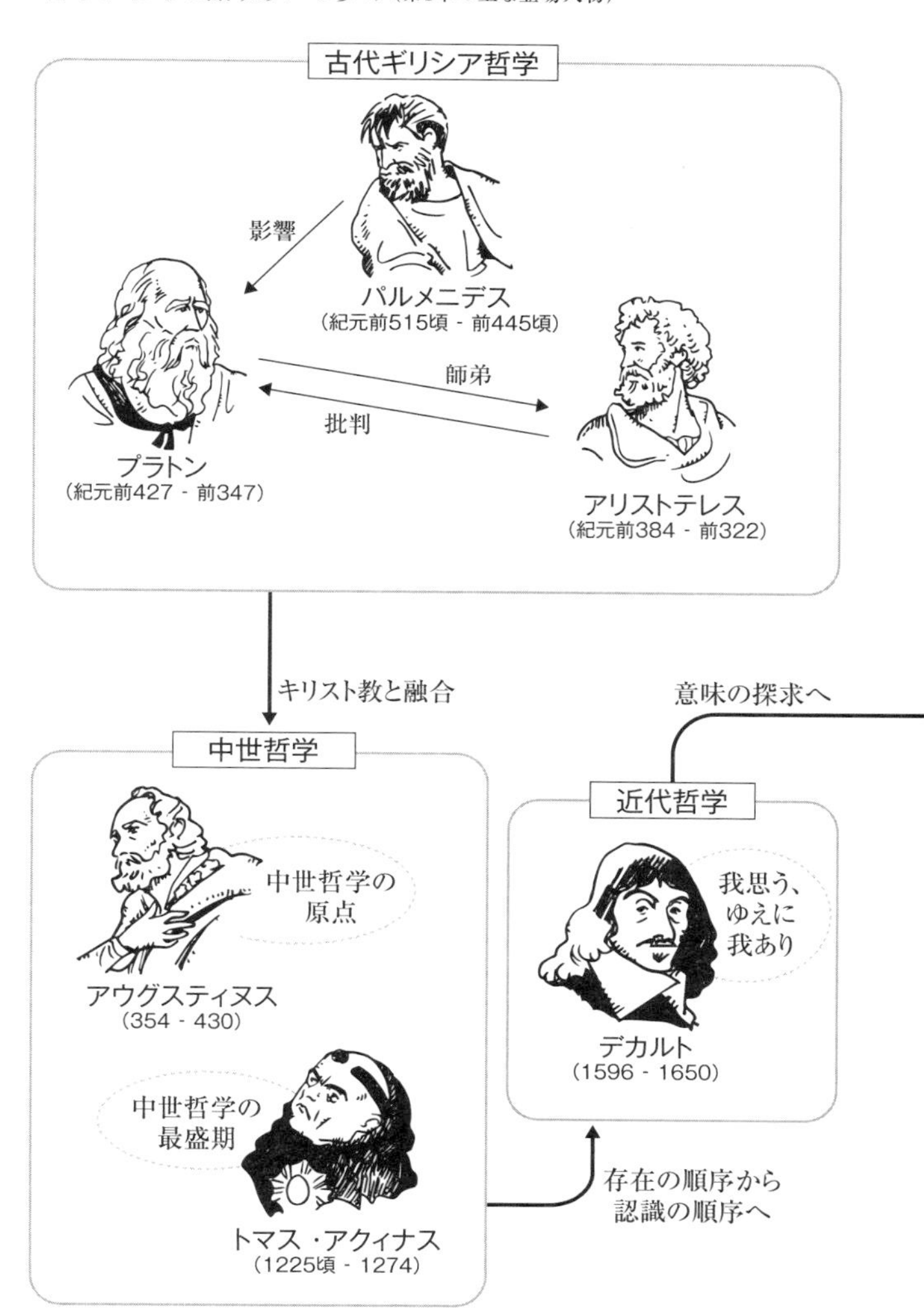

1・1　哲学の歴史は「問い」から始まった

はじめに、哲学の問いが、各人固有の問いに向けて人びとに呼びかける営みであることの歴史的記録をみましょう。実のところ、こうした問いは古代ギリシアから現代にいたるまで広く見いだされます。ここでは古代のプラトンと現代のハイデガーに絞って紹介します。ここから、哲学の歴史が問いから始まるということ、そして、現代においても哲学の根底で問いが常に蠢（うごめ）いていることを感じとってください。

ソクラテスの問い

プラトン（紀元前427－前347）の初期対話篇『ソクラテスの弁明』のあらすじに、皆さんは高校の倫理などで触れたことがあるでしょうか。プラトンの師のソクラテス（紀元前469／470－前399）は、アテナイ（アテネの古名）の同胞で知者といわれる人びと――政治家や詩人、職人など――を捕まえては「問い」をしかけ、彼らの知識の根拠のなさを暴きだしました。その結果、彼に敵意をいだく集団によって、屁理屈と無神論を若者に教えこむ罪人として告発されました。法廷に呼びだされたソクラテスは冤罪を主張し、いならぶ裁判員の市民に向けてこのように語りだします。[1]

> 語られたたくさんの偽りのなかで、一つ、とりわけ驚いたのは、私が手強い言論の語り手なので、皆さんが私に騙されないように注意すべきだ、と言ったことです。〔…〕もしもこの人たちが、真実を語る者のことを「手強い語り手」と呼ぶのでなければ、の話ですが。

同胞に問いかけるソクラテスの語りが「手強い」弁論だという告発者の警告に対し、ソクラテス本人はそれを否定しつつ、「真実を語る」ことを「手強い」と呼ぶなら別だと留保します。「手強い」の原語の「デイノン」は「恐ろしい」や「不気味な」も意味します。そうすると、ソクラテスの言葉からは、常識を疑わない日常の言語活動からみた哲学の問いの異様さ――良識を掘り崩す詭弁――と、哲学的に問うものが進んで引き受ける異様さ――真実を語ること――との両面的な「手強さ」を読みとれます。哲学の問いかけには、人びとの語

１　プラトン（２０１２）『ソクラテスの弁明』納富信留訳　光文社

りあいを動揺させる異様さがあります。

それでは、問いかける哲学者が語りだす「真実（アレーテイア）」とはなんでしょうか。それは、哲学者にかぎらず、人間は知を持たない、つまり無知である不確かさに向きあうべきことです。プラトン研究者の納富信留（のうとみのぶる）さんが詳しく論じていますが、ソクラテスの問いかけは、共に生きる人びとが確かな知を持たないことを暴きだしつつ、ソクラテス自身にも知が欠けていることの自覚を深めさせます。これにより、問いの対話者であるソクラテスとアテナイ市民は、人間にふさわしい「知らない」という不確かさの事実に足をつけられるようになります。自分にふさわしいものになろうとするこの問いの営みを、ソクラテスは「魂の配慮」と呼びます。ここに、哲学の問いが、哲学を超えて、人びとの内なる問いをあて先とする様子をみてとれます。

とはいえ、これは日常の人びとにとってはとても危険な活動にみえます。というのも、政治家が語る善などのさまざまな常識は日常生活の前提であるのに、哲学の問いは、答えのない不確かなもののまま、それらの常識を掘り崩してゆくからです。それゆえ、魂を配慮したくないものたちによって、問いへといざなうソクラテスには死刑が宣告されました。

洞窟の囚人

その後、円熟したプラトンが著した『国家』で、ソクラテス裁判を踏まえた「洞窟の比喩」という有名なたとえ話が示されます。それはこんなストーリーです。

深い洞窟の奥底に、生まれてからずっと首を固定され、壁面に映された影絵を眺めつづける囚人たちがいます。当然、彼らは影絵こそが本当の存在者だと信じます。しかし、誰かが囚人を洞窟から引きずり出しました。囚人は、目がくらみながらも、まずは野原や湖などの生の事物を眺め、その後、見えることそのものを可能にする太陽へと眼差しを上げていきます。このことが、万物の真理（イデア）をとらえる哲学知になぞらえられます。その後、外へ出た囚人は、哲学者として、もといた洞窟に戻って他の囚人を解放しようと試みます。しかし、影絵しか見たことがないものは太陽の話をされてもまったく理解できません。それゆえ、哲学者（ソクラテス）は彼を危険視した囚人たちに殺されてしまいます。

この比喩からは、独り立ちしたプラトンが構築した壮大なイデア論の体系の根底で、「魂の配慮」へと呼びかける恩師ソクラテスの「問い」が常にはたらいていることをみてとれます。というのも、光の起源に向けて洞窟から引きずり出されることも、洞窟に戻って囚人に語りかけて殺されることも、ソクラテスの「問い」の「手強さ（デイノン）」、つまり、哲学の問いが日常の言語空間に与える違和感の現れに他ならないからです。

ハイデガーの問い

20世紀最大の哲学者といわれるマルティン・ハイデガー（1889-1976）も、ギリシアの悲劇詩人ソフォクレスの『アンティゴネー』における「人間よりも恐ろしい（デイノン）ものはない」という言葉を手引きとして、「問い」を論じます。彼にとって、人間の本質は問いうることです。まさにそのことが人間を異様なものにします。

このことは、主著の『存在と時間』（1927）ではっきりと打ち出されます。そこで彼は人間を「現存在（ダーザイン）」と呼びますが、この現存在はまっさきに「問うもの」として定義されます。この定義のポイントは、問うための前提、つまり問題となる事柄の不確かさを、現存在が常に受けとめてしまっていることです。事柄の不確かさがわからなければ、問う必要がないし、そもそも「問う」という動作の意味も理解できないからです。この点で、ハイデガーはソクラテスと同じく、現実の不確かさに向かいあうことが人間の本質だととらえています。

興味ぶかいのは、この「問うもの」が、彼の論じる哲学のテーマをほぼ網羅するほど多様な事柄のすべての根底にあることです。これはさきほどの「洞窟の比喩」と共通します。

『存在と時間』の序論で、ハイデガーは、彼の哲学プロジェクト（「存在の問い」）で何を取りあげるのかを素描していきます。順番に挙げると、まず、万物の存在そのものと、これを「問うもの」である現存在、つまりは人間が挙げられます（第１・２節）。そして、物理や生物や文化物などの多元的領域に分かれる実在の全体（第３節）と、この全体のただなかで生きる「私」と他者（第４節）が挙げられます。これは、存在する事象のすべてを、存在者として成りたつために必要な順序で並べたものです。次頁の図表１の円につけられた「存在の順序」の矢印がこの順序をあらわします。その次に、彼は、これらの事象に取りくむ哲学の探求が進む道筋を説明します。この道筋は両義的なものです。一方で、探求は、「私」の身近な日常から出発して、最後に全存在者に共通する存在の一元的意味をめざします（第５節）。この探求の道のりは、図表１の「認識の順序」の矢印があらわしています。他方では、同じ探求が、「私」とは異なる視点にたつ過去の他者の存在論との対話に巻きこまれる多元的なものともなります（第６節）。第５節と第６節で示される探求のこうした両義的性格は図表１で「一元的」と「多元的」とあらわされます。こうして、第１節から第６節までで、哲学が取りあげうる事象と哲学が進めてゆくべき探求の全体像が描きだされます。これは、

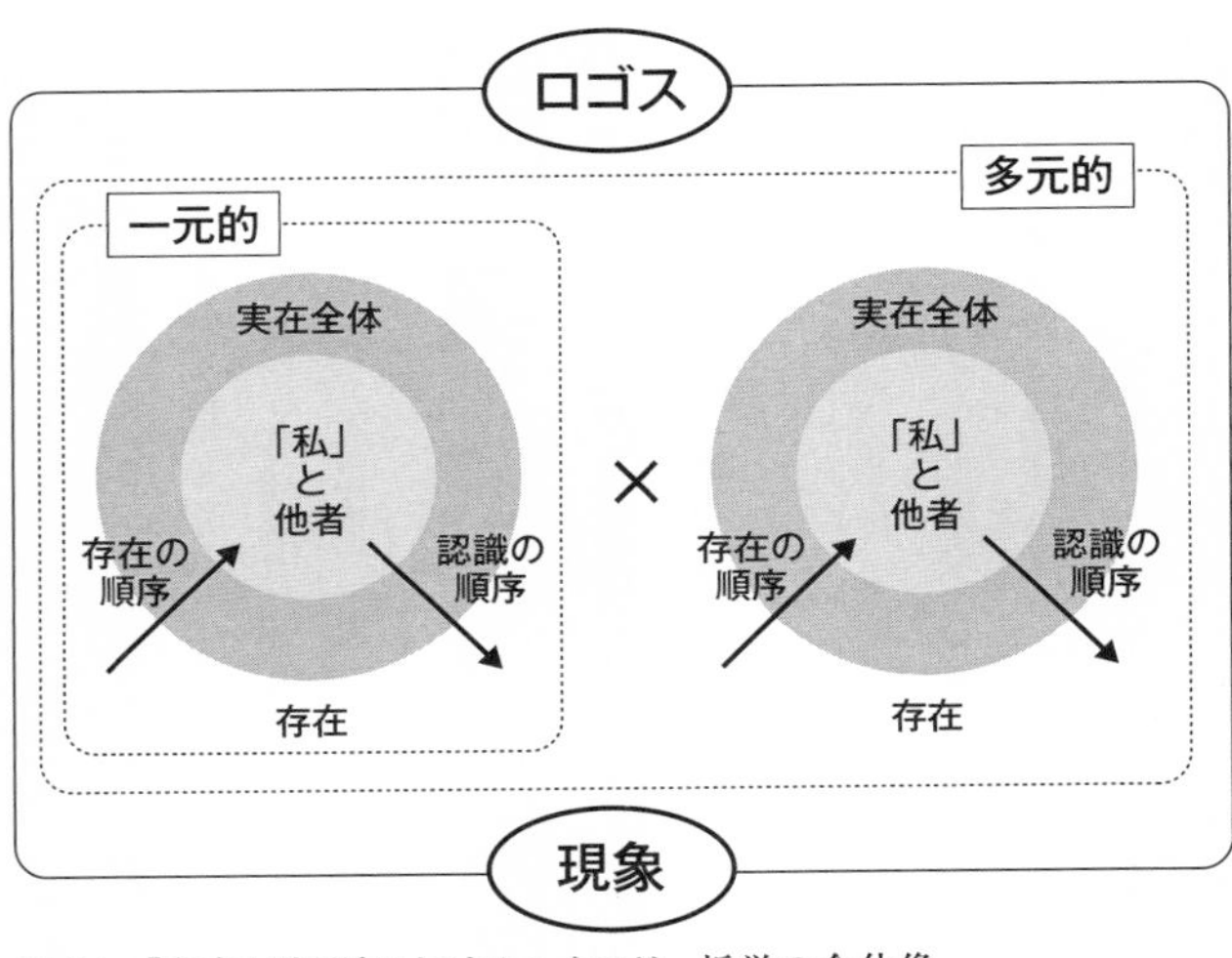

図表1 『存在と時間』におけるハイデガー哲学の全体像

ハイデガー哲学のほとんどすべてを描きつくす壮大な構図です。

根源的な「ロゴス」の意味

しかし、これがすべてではありません。ハイデガーは、この構図全体の前提として「問うもの」を位置づけます。このことは第7節で説明されるハイデガーの「現象学(フェノメノロジー)」という方法概念から読みとれます。ここでは特に「現象学」の構成契機として彼が分析する「ロゴス」の概念に注目しましょう。

『存在と時間』の術語としての「ロゴス」は、異なる視点にたつ複数の人間が語りあって、話題となる事柄をはっきりさせることを意味します。ハイデガー自身の表現では「語るもの（媒体）に対して、つまり相互共同的に語りあうものたちに対して、語りの主題である何かを見えるようにすること（ゼーエン・ラッセン）」となります。[2] 古代ギリシアより、「ロゴス」という言葉には「理性」や「根拠」「関係」「定義」など多様な意味づけがされました。ハイデガーは、それらの意味に先だつもっとも原初的な意味が、「複数人で語りあって事柄をはっきりさせること」だと言うのです。

具体例として、「赤い色が見えた」場合を考えましょう。この出来事の原因について誰かが問いかければ、私たちはたとえば「特定の波長の光」と答えられます。このとき、視覚から独立した客観的な物理現象としての「光」が語りあいによってはっきりさせられます。また、突きつめるなら、視覚と光にかぎらず、自然の因果関係そのものだって答えとなります。この場合、「自然」が原因と結果の関係によって成りたつものとして語りあいによって示されます。もちろん、誰かが反論して、私たちが説得されることもありえますが、その場合は別の事柄がはっきりさせられます。このように「ロゴス」とは語りあいによって何かを「見

2　Martin Heidegger (1927) *Sein und Zeit* p.32　景山訳

えるようにする」ことです。この「ロゴス」が「現象」——事柄そのもの——を見えるようにすることこそ、ハイデガーが考える「現象学(フェノメノロジー)」です。この「現象学」概念は、それ自体はきわめて抽象的なもので、「何かを見つけること」と「見つけられる事柄」の関係を形式的に表現しただけです。けれど、これにより、図表1の「現象」と「ロゴス」で示したように、ハイデガーが取りあげる事象と探求の壮大な広がりを包括的にとらえられます。ハイデガー哲学のあらゆる局面に「現象」と「ロゴス」の関係が浸透しています。

その際、特にアクセントが置かれるのが「ロゴス」の概念です。しかも、この概念は、問いかけることで事柄を「見えるようにする」人間をあらわします。現象学概念をまとめあげた結論として彼は次のように言います。[3]

哲学は普遍的にして現象学的な存在論であり、それは現存在の解釈学から出発する。この解釈学は、実存の分析論として、あらゆる哲学的な問いかけの手引きの両端を、それが湧き上がって始まり、また最後に打ち返すところに、強固に打ちつけた。

あらゆる哲学的な「問い」のはたらきが「実存」、つまり問うもの自身から出発し、最後にそこに立ち返るとされます。言い換えると、存在や自然やその他どんなものについて問うていても、結局、その営みのすべては問うもの自身に帰着するわけです。なぜなら、事柄を「見えるように」する問うものがいなければ、当然、いかなる事柄もそもそも示されえないからです。この意味で「問うもの」はハイデガー哲学の全事象がそこに向けて集約される結節点です。

ハイデガーの問いによる分断

ソクラテス裁判と同じく、ハイデガー哲学の「問い」の異様さも世界史の一頁に刻みこまれています。１９３３年、ヒトラー政権が樹立され、ドイツは全体主義と世界大戦、そして大量虐殺という破滅の道を歩きはじめました。同年にナチスに入党したハイデガーは、フライブルク大学総長の就任演説「ドイツ的大学の自己主張」で、哲学の問いと民族共同体の関係を次のように表現します。[4]

3　注釈2と同書　38頁　景山訳

学とは、常におのれを秘め隠す存在者全体のただなかで、問いかけて立ち抜くことである。ギリシア人にとって、学は「文化財」でなく、民族的―国家的現存在の全体をもっとも深い核心で規定する中枢である。［…］学は、彼らにとって［…］現存在の全体を尖鋭にして、包みこむ威力なのだ。

パスカルが宇宙のなかでもっとも弱いけれども思考能力を備えた「葦（あし）」として人間を描いたのと似たしかたで、ハイデガーは、無力に投げだされた世界の不確かさに直面して問うことが「学」であり、人間の本質的な無力さを引き受ける「学」こそが人間の共同体――民族と国家――の根幹だと言います。これは、ソクラテスの問いが人びと――皆さん自身です！――に向けて魂の配慮（自分にふさわしいものになろうとすること）を呼びかけるのに少し似ています。ですが、特定の政治権力と結合したハイデガーの問いはまったく異質の「手強さ」を帯びます。元来、「問うか否かという哲学の遂行の区別」と「共同体と他の共同体の区別」は別の話です。ですが、ハイデガーは両者を溶けあわせて、哲学的問いを担うドイツ民族と、そうでない他の人びと――ユダヤ人やアメリカ人など――を線引きしてしまいます。

これにより、現実の民族国家が法廷のソクラテスのように諸外国に向けて精神性を自己主張するというヒロイックな自己像――ルサンチマンの裏返しですが――が生じます。今日ふたたび世界を侵食している人びとの分断――国家であれその他の集団であれ――と哲学の問いが結びついた姿をここに認められます。なお、ハイデガーの演説は、ドイツと同じく軍国主義に転落しつつあった１９３０年代の日本の哲学者にも大きなインパクトを与えています。

１・２　問いこそは哲学のもっとも根源的な事柄

ここまで、哲学における「問い」の根源性を歴史的に確認しました。とはいえ、「問い」がどのような意味で根源的なのかは、さしあたり不分明です。これについて、基本となる論点を確認していきましょう。

4　景山訳　参照：M・ハイデッガーほか（１９９９）『30年代の危機と哲学』清水多吉・手川誠士郎編訳　平凡社

究極の先だつもの

哲学は総じて根源、つまり、なんらかの意味で「他の事柄に対して先だつもの」を探求します。たとえば、「宇宙の始まりはどのようなものか」という自然哲学の問いは、現在の宇宙のすべてに時間的に先だつものに向けられます。また、「法律はなぜ妥当性を持つのか」という法哲学の問いは、個々の法律の条文に先だって、そもそも法律が法律として意味を持つための条件に向けられます。古代ギリシアでは、これらの先だつものをまとめて「アルケー」と呼びました。なお、現代には、根源を問うことの無意味さや暴力性を指摘する、やや屈折した哲学者もいます。

とはいえ、宇宙や法律の成りたちを探るだけなら、宇宙学者や法学者のほうがよくできそうです。彼らは実際に宇宙を観察し、法律の条文に日々取りくんでいるのですから。それでは、いかにも哲学にふさわしいテーマとはなんでしょうか。それは、宇宙であれ法律であれ、その他なんであれ、あらゆる他の事柄よりも先行する究極の先だつものを問うことです。これについて、哲学のおよそ2600年の歴史においてさまざまな答えが出されました。これらの答えの多様性には、古代から現代にいたる哲学史上の地殻変動が映しだされています。以下では、それらの解答を概観したうえで、そうした伝統的な先だつものに対して、「問う」

はたらきがさらに先だつことを説明します。

大きくまとめると、哲学の歴史において、究極の先だつものは二種類の順序において考えられてきました。アリストテレスの表現もあわせて言うと、それは「存在の順序」——本性において先なるもの——と「認識の順序」——我々にとって先なるもの——の二つです。

存在の順序

存在の順序とは、何かが存在するために前提されるものの順序です。たとえば、東京駅もウォンバットも、三次元に広がる物体がなければ存在できません。このとき、存在の順序で、三次元の物体は東京駅やウォンバットに先だちます。そうすると、この順序における究極の先だつものとは、物体はもちろん、三角形のような数学的対象や、シャーロック・ホームズのようなフィクション中の人物をもふくめて、あらゆる種類の存在者にとって存在するために前提されるものとなります。それはいかなるものでしょうか？　この問いへの古典的な解答は、「存在」を挙げるものです。

存在とは「ある」ということです。東京駅もウォンバットも「ある」し、三角形もシャーロック・ホームズもそれぞれ「あり」ます。もちろん、シャーロック・ホームズは物体と同

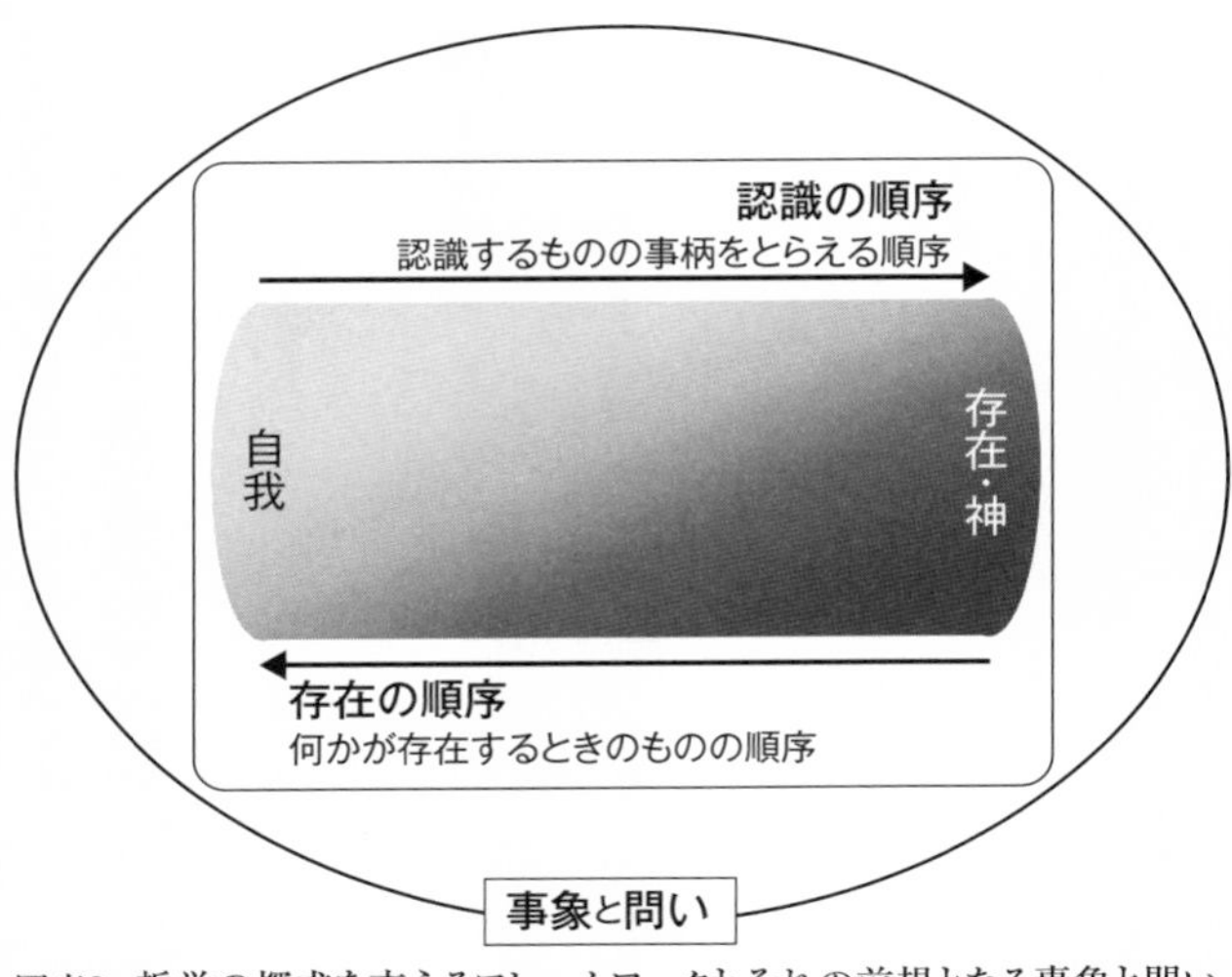

図表2　哲学の探求を支えるフレームワークとそれの前提となる事象と問い

じようには存在しませんが、少なくともそれについて「探偵である」と語れます。このように「ある」はなんであれ、あらゆる存在者に等しく当てはまる概念であり、また、あらゆる存在者がそれぞれのしかたで成立するときにかならず前提とされる事実です。この点で、「存在」は存在の順序においてあらゆる存在者に先だちます（図表2）。存在を主題とした最初の哲学者は、先ソクラテス期の哲学者パルメニデス（紀元前515頃‐前445頃）です。彼は、流れさった過去もこれからやってくる未来もない「永遠の今」として、存在を性格づけます。なぜなら、過去も未来もある意味で存在する以上、「ある」は時間的に過ぎさって非存在に変わることがなく、いつでも現前するからです。やや後の世代に生まれたプラトンは、こうした存在概念を引き受けて、刻一刻と流れさる感覚の現れを超える同一性――机そのもの、善そのもの――によって存在者をそれとしてあらしめるイデアの概念を提唱しました。また、彼の弟子だったアリストテレス（紀元前384‐前322）は、イデア論を批判的に受けつぐ形で、「何であるか」を定める形相（けいそう）（エイドス）を、感覚される実体（ウーシア）に内在化させました。この場合、たとえば机を机たらしめる本質は、目で見て手で触れられる個々の机のうちにあることになります。

また、存在だけでなく、神も存在の順序における先だつものとみなされました。アウグスティヌス（354‐430）やトマス・アクィナス（1225頃‐1274）に代表される中世哲学は、プラトン――ないし新プラトン主義――とアリストテレスを継承しつつ、キリスト教などの一神教における「無からの創造」説に接続しました。ここから生まれたのは、万物の本質――イデアや形相――を設計するだけでなく、それを現実に存在させるもの、つまり、万物に存在を贈与するものとしての神の概念です。こうして古代と中世の哲学では、概して存在の順序にしたがって、先だつものが探求されました。

認識の順序

これに対し、認識の順序とは、認識するものにとって事柄がとらえられる順序、つまり、把握して理解する営みが成立する順序です。たとえば、自然界とわれわれ人間で考えましょう。当然、自然界の物質が存在しなければ人間も存在しません。ですから、存在の順序で、自然は人間に先だちます。しかし、「自然は人間に先だつ」と主張するためには、それに先だってさまざまなことを理解していなければなりません。たとえば、「自然と人間は等しく物質でできている」や、そもそも「人間には身体と精神がある」などの理解です。つまり、もっとも手近な話題である人間について理解していてはじめて、人間と自然の関係へと理解を広げられるわけです。そして、哲学史上、この認識の順序で他のすべてに先だつとされたものは「自我」です(図表2)。

自我とは、思考や知覚のような世界に向かう活動の担い手、しかも、自分をそれと自覚できる担い手です。よく知られた例を借りると、蜜蝋(みつろう)を見るとき、見ている当人は自分が蜜蝋を見ていることを理解しています。蜜蝋を見る動作の主体、つまり自我として自分を理解するわけです。それではなぜ、認識の順序で、自我は先だつものとなるのでしょうか。その答えをもっとも表明的に与えたのが、近代哲学の出発点となったルネ・デカルト(1596-

1650）です。皆さんにも馴染み深い「我思う、ゆえに我あり」を想起してください。デカルトは、絶対に確実な知識を求めて、少しでも疑えるものは存在しないと想定する誇張的懐疑をおこない、目や耳による感覚的認識や、数学の知識、さらには世界の実在までも疑いました。しかし、最後に彼は「疑っている自分自身の存在は疑えない」という洞察に達します。これが「我思う、ゆえに我あり」というコギト命題の意味です。そこから彼は、自我（「エゴ」）が思考する内容（「観念」）にそくして、神と自然の実在を証明しようとしました。そうすると、現代を代表する哲学史家のジャン＝リュック・マリオン（1946-）が言うように、デカルトの論理において、第一かつ絶対確実に認識されるものが自我だから、まず自我の認識から出発して、次にそれ以外の存在者へと認識が広げられるわけです。[5] このデカルト革命により近代哲学は、主観的意識から客観的世界へのアクセスを再構築するように方向づけられました。これはいわば認識の順序にしたがった哲学探求です。

5 Jean-Luc Marion (1986) *Sur le prisme métaphysique de Descartes* PUF. p.85

存在と認識の順序のまじわり

ここまでみると、存在の順序と認識の順序が、反対の方向から同じ事柄について論じていることがわかります。存在の順序では、認識する意識主観は、認識されるもの——存在・神・その他あらゆる存在者——よりも後にきます。なぜなら、認識されるものがなければ、認識する者も存在できないからです。東京駅があってはじめて、東京駅の認識も成りたちます。これとは逆に認識の順序では、認識する者が、手近に認識される存在者やその存在者の根底の存在や神よりも先だちます。なぜなら、存在するものがそれとして理解されるためには、当然、理解する者が前提とされるからです。東京駅が存在すると理解できるためには、理解する者がはじめにいなければなりません。まとめると、この二方向の順序において、存在と認識はお互いが前提しあう関係にあります。存在と認識の順序の両者が組み合わさって、先だつものの探求のフレームワークを成しているわけです。20世紀の哲学である現象学や分析哲学も、哲学が常にそこで展開される経験や言語の分析をつうじて、このフレームワークを新たなしかたで繰り返しています（後でこの点をお話しします。51頁参照）。

それにしても、ここで疑問が生じます。先だつものの探求の全体がこうしたものだとして、この構造そのものは何によって支えられているのでしょうか？

究極の先行性

それは哲学的に探求すること自体の成立機制です。まず形式的にみて、認識と存在のどちらの順序でも、探求されるべき「事象」があることが共通します。存在であれ自我であれ、哲学が探し求める事象である点で変わりありません。また、どちらの順序でも形式上、「問う」ことが共通します。存在にせよ自我にせよ、それを問うているのは同じです。こうして、哲学の探求を構成する「事象」と「問い」は、認識と存在の往還構造においていつでも前提とされます。

もし、この「問い」がないとすると、認識と存在のどちらの順序であれ、そもそも「事象」が「事象」として示されえません。たとえば、ウォンバットと三次元の物体で考えましょう。さきほど、存在の順序において三次元の物体はウォンバットに先だつ、と言いました。しかし、「ウォンバットが存在するために前提とされるものを探求する」とは具体的にどういうことでしょうか。この探求が行為として意味をなすためには、はじめにウォンバットが「なんの前提もなくそれだけで成りたつのでないもの」として受けとめられねばなりません。つまり、具体的に何が前提となるかはまだ決まっていないけれど、とにかくそれだけでは存在できない不確かなものとして、ウォンバットが理解されるべきです。さもなくば、探求の意味が完全に失われてしまうでしょう。この点を踏まえると、探求される「事象」と「問う」はたらきの関係が明らかになります。それは、「事象」の本質である不確かさを受けとめて見えるようにする「問い」がなければ、そもそも不確かさを理解できないということです。なぜなら、「問い」とは答えがまだ決まっていない不確かさに直面することそのものであり、これなしには不確かさを不確かさとして受けとめる可能性がなくなるからです。逆に言えば、他ならぬこの「問い」においてこそ、先だつものの探求一般がはじめて有意味なものとして現れでます。その意味で「問い」は、哲学の探求がそこで立ち現れる「場所」です。古代ギリシア語では場所を「トポス」と呼びます。

「問い」があって探求が始まる

それでは、「問い」のこうした前提性をどのようにとらえるべきでしょうか。皆さんは、ここまでの話を聞いて、「『探求』という概念にもともと『問い』がふくまれるのだから、『問い』なしに『探求』が成りたたないのは当たりまえでないか」と感じたかもしれません。けれど、実情は異なります。「未婚の人間」が「人間」の概念を前提とするように、純粋に論理的な前提であれば、概念同士の関係を決めるために、概念の内実はまったくどうでもいいものです。つまり、ＸとＹを合わせたＸＹという概念がもともとのＸなしに意味を持たないことは、Ｘの中身が具体的に何か――人間であれサンマであれ――をまったく知らなくても理解できます。これに対して、「問い」が哲学の探求の前提となるためには、実際に問いかけがおこなわれて、なんの前提もなくそれだけで成りたつのでない事象の不確かさを見えるようにしなければなりません。実際に「問い」が遂行されないかぎり、誰も「見えるように」なるものに直面していないので、「問い」は事象をはじめて「見えるようにする」という前提性を持てません。

むしろ、この前提性は、虚焦点（フォークス・イマギナーリウス）のようなものとして理解すべきです。虚焦点とは、平行光線をレンズに通して分散させたときに、分散した光線を逆向きに延長してえられる点のことです（次頁、図表3）。実際には何もないのに光線がそこから出ているように見えるので、こう呼ばれます。同じことは「問い」にも言えます。一面において、「問い」は、存在や自我といった「先だつもの」のさまざまな探求を形式化した概念でしかなく、それ自体にはなんの実質もありません。けれど他面では、すでにみたとおり、「問い」がはたらくことではじめて、それらの探求が有意味に現れでるのです。そうすると、

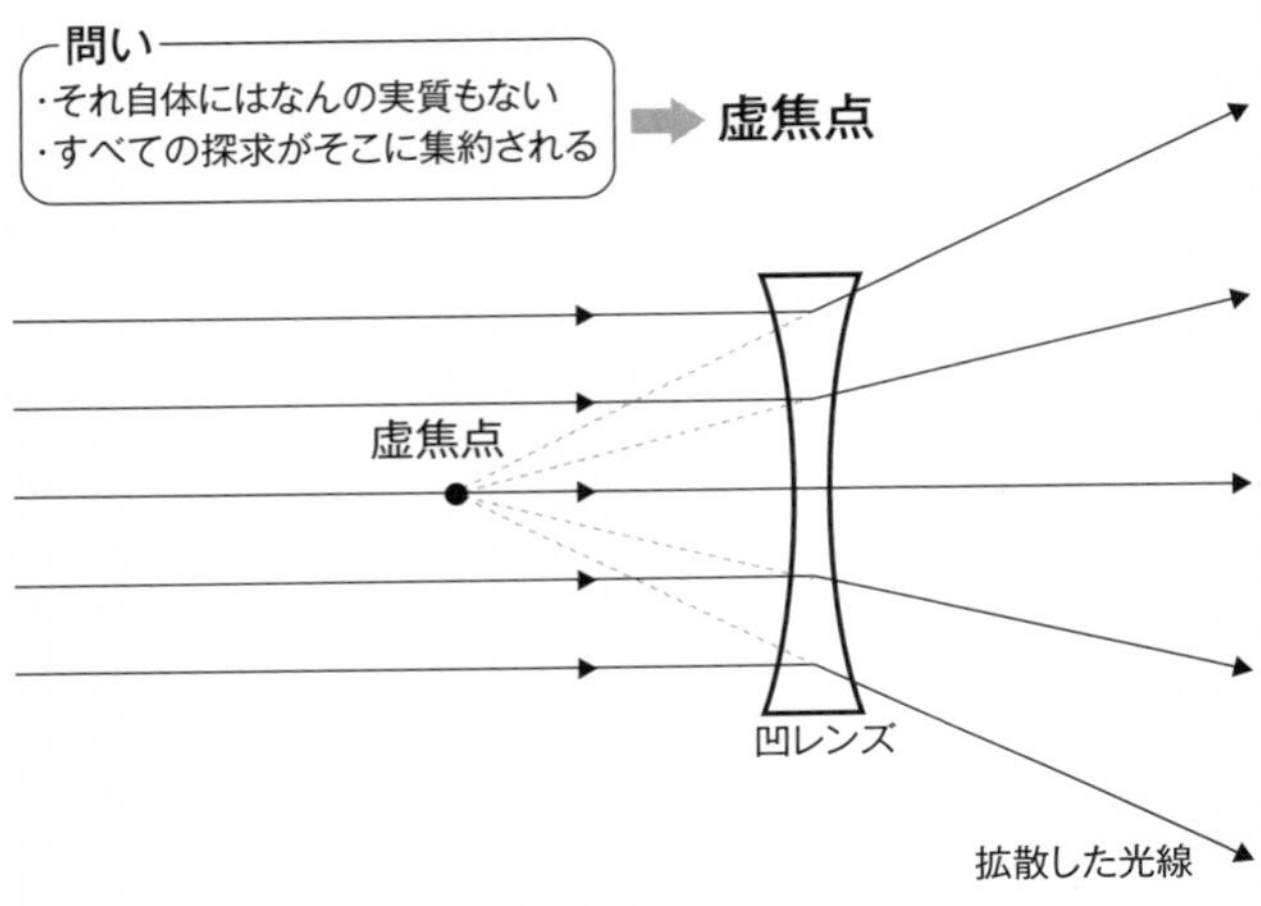

図表3　虚焦点のような「問い」の性質

「問い」は、そのものに具体的内容はないけれど、ウォンバットであれ東京駅であれ、存在や神や自我であれ、先だつものの探求が、そのはたらきに関係づけられることによって、そもそも「探求」として成りたてるものです。この意味で、「問い」はすべての探求がそこに集約される虚焦点です。歴史を振りかえると、このように哲学的探求の形式をそれ自体に実質はないが、探求のすべてがそれに関係づけられるものとしたのは、晩年のハイデガーの言語論です。そこで彼は、哲学の道が開かれるために欠かせない人間のはたらきを、こうした意味で「言葉的なもの」や「記号」と表現しています。

こうして、「問い」は、哲学史上の諸々の

「先だつもの」に対して特異な先行性を持ちます。では、問うもの、すなわち「問い」のはたらきを担うものは、伝統的に哲学の根源とされてきた存在や神や自我に対して、いかなる位置を占めるでしょうか。問うものはこれらの先だつものを生み出しも考え出しもできません。存在と神にせよ、自我にせよ、存在と認識の順序における究極の先だつものだから、それらが「生み出される」とか「考え出される」ということはありえません。たとえば、哲学の探求において神にたどり着いたものにとって、神以上に根源的な「事象」など考えられないでしょう。けれど、そんな人もふくめて、問うものはここまで確認した意味において、神よりも、また存在や自我よりも根源的です。「問い」を始めなければ「先だつもの」は意味を持たないという点で、問うこと自体が究極の先だつものとなるからです。言うなれば、存在の手前で、神の手前で、自我の手前で、そしてすべての手前で、形のない不確かさに直面する「問い」が、哲学を作動させています。哲学の根底にあるものは、それ自体にはいかなる寄る辺もない原初のおののきを引き受ける「問い」です。

1・3 「問い」は日常の対話のはざまで人びとに呼びかける

それでは、「問い」がすべてに先だつものだとして、人びとに向けて呼びかける営みであるのはなぜでしょうか。ソクラテスやハイデガーが一人だけで問わず、共に生きる人びとに問いかけた理由はなんでしょうか。これを「問い」の成りたちにそくして考えてみましょう。

意味論と語用論

まず、哲学にかぎらない日常の問いとして「今日は晴れているか?」をみてみます。この問いの成りたちを考えるうえで、意味論と語用論の二つのアプローチがあります。前者は、問いの文の意味内容を、後者は、問いの文を用いる行為状況を分析します。

意味論からすると、この問いは、それ自体では存立できない非独立的な文です。というのも、「今日は晴れているか?」という疑問文を理解するためには、それに先だって「今日は晴れている」という判断文の意味を理解できなければならないからです。この場合、問いは判断にもとづけられています。

これに対して、語用論からすると、問いは判断にかならずしも依存しません。なぜなら、行為状況、つまり世界が「今日は晴れている」か「今日は晴れていない」と判断文の形式で確定されてしまったなら、そもそも「今日は晴れているか?」と問う意味がないからです。つまり、判断の意味内容をうんぬんする前に言語行為としての問いが意味を失います。フッサール研究者の吉川孝さんが論じたように、問いが行為として成りたつのは、発話者の状況そのものが不確かで「晴れかもしれないし、違うかもしれない」と表現される場合です。[6]

意味論と語用論はどちらも重要です。しかし、言語使用の状況がまったくなければ問いの文そのものも消えてしまうので、ここでは語用論があつかう問いの行為状況にさらに目を向けてみましょう。付言すると、ハイデガーは『存在と時間』で「問いの構造」という三木清にも影響を与えた名高い議論をしていますが、これは問いの行為状況の構造分析に他なりません。

6　吉川孝(2006)「問いの現象学——フッサール、ダウベルト、ライナッハをめぐって」現象学年報22巻85-94頁

問いの対話構造

さて、ここで注目すべきは、行為状況の不確かさに向きあう「問い」が、一人だけの行為でなく、かならず複数の者との対話としておこなわれることです。それを理解するために、まずは「不確かさに向きあう」とはそもそもどういうことか考えてみましょう。

そこには受動と能動の二つの面があります。一方は、不確かさに向きあうためにまず、確かだと信じていたものを揺さぶられ、失わねばならないことです。つまり、私たちが自明の前提としていたものをおぼつかなくさせられることが必要です。これは私たちが受け身で巻きこまれる受動的な出来事です。他方で、そうして巻きこまれた状況の不確かさを受けとめて、それが何であるのかを考えようとすることも必要です。この能動的な応答がなければ、単にキョトンとしているのと変わらず、不確かさを理解しているとは言えません。こうした受動と能動の二つの面があってはじめて、私たちは不確かさに向きあえます。この二面は、「問い」という行為を構成する「問いかけられる」と「問いかける」の二重性としてとらえられます。

こうした二重性は、たとえば、20世紀フランスを代表する現象学系の哲学者であるエマニュエル・レヴィナス（1906‐1995）とモーリス・メルロ＝ポンティ（1908‐19

６１）の著作にも認められます。彼らはそれぞれ次のように述べています。[7,8]

思考が主題化されたその相関者を超えて思考するこの仕方。［…］それは「他なるもの」による思考することの審問である。［…］審問とは、思考が世界内に場所を占めているというその実定性について、思考自身が不安を覚え、目覚めるということを意味する。

哲学は知覚的信念に問いかけるが、通常の意味での解答を期待もしないし、受け取りもしない。何故なら、［…］実在の世界は、疑問的様態で存在しているからである。哲学とは、己自身に問いかけている知覚的信念なのである。

前の引用のレヴィナスは、「問い」を、自己の思考の枠に収まらない他者によって自己の

7　エマニュエル・レヴィナス（２０１７）『観念に到来する神について』内田樹訳　２１９頁　国文社
8　モーリス・メルロ＝ポンティ（２０１７）『見えるものと見えないもの【新装版】』滝浦静雄・木田元訳　１４３頁　みすず書房

生の基盤が疑わしくされることととらえます。「審問（ミズ・オン・ケスチオン）」と呼ばれるこの事態は、「問い」の受動面、つまり「問いかけられる」ことです。後の引用のメルロ＝ポンティは、「問い」を、世界の一見した自明さにひそむ不確かさをおもてだって引き受ける営みだとします。これは「問い」の能動面、つまり「問いかける」ことです。

そして、「問いかけられる」と「問いかける」の二重性は、「問い」の本質が「対話」であることを示します。一般に、対話は、《私と君の対話》や《アメリカと中国の対話》のように、異なる立ち位置にあるもののあいだでおこなわれます。自問自答のような《自己との対話》でも、問いかける自分と問いかけられる自分とでは時間上の立ち位置が異なります。問いかけられることは、かならず問いかけるよりも後におこなわれるからです。立ち位置がこのように異なるもの同士の関わりあい（対話）でなければ、私たちは問いかけられることも問いかけることもできません。というのも、これまで安住してきた確かさを揺さぶられる（受動）のは、それとは異なる立ち位置にあるものによってだけだし、また、揺さぶられた不確かさを受けとめられる（能動）のは、特定の立ち位置にあるものだけだからです。不確かさに向きあうこととしての「問い」は、根本的に「対話」としてのみ可能です。問いかけあい、自明性のもろさをあらわにする対話が、哲学の全事象の根底で蠢いています。

哲学の問いと日常の対話

ここから、哲学の問いが日常の人びとの対話にどう関わるかも理解できます。哲学の問いが人びとに呼びかけるのは、高いところから真理を述べ伝えたいからではありません。そうではなく、哲学が語りかける相手が日常の人びと以外にいないからです。考えてもみてください！　ちょうどみたように、「問い」が異なる立ち位置にあるもの同士の対話としてのみ可能なら、それは哲学にかぎらず、日常を生きるあらゆる人に当てはまることです。だって、どんな人でも他人とは異なる自分だけの人生を生きながら、他の人びとと共に生きているのですから。この点で、日常の人びとの対話のうちにすでに哲学の問いが潜在的にあるし、哲学が問いかける言語行為はごく当たりまえの日常的な対話の延長線上にあります。

とはいえ、やはり哲学の問いには日常の対話をかきみだす「手強さ」があります。なぜなら、日常の対話の場合、そこで浮き彫りになるさまざまな不確かさ――「どの会社に就職すべきか」「このままこの仕事をつづけるべきなのか」など――は、それ自体は「確かだ」と信じられる前提を持つからです。たとえば、「やりたい仕事を選ぶべきだ」や「生きるためには働くべきだ」といった前提です。これに対して、哲学の問いは、そうした不問の確かさに切りこみ、日常の対話を暗黙のうちに支えるさまざまな「先だつもの」を揺り動かします。だからこそ、ソクラテスはアテナイの同胞に告発されたのです。けれど、哲学はそれによって人びとの対話を破壊したいのではありません。反対に、「問い」という不確かさを突きつける特異な言語行為によって、不確かさに直面する人間の可能性を人びとに示すことこそが「問い」の目標です。これにより、哲学の語りを受けとめる人びとに、各人が本当は直面している不確かさを根底から引き受けてより深く生きてもらおうと誘いかけるのです。この点で、さきにみたとおり、哲学の問いとは「魂の配慮」への呼びかけに他なりません。ハイデガーはこれを「準備」と言います。本書が哲学の問いを人間の「賛歌」としてとらえるのも、この理由からです。

1・4　21世紀の哲学の課題としての「問い」

ここまで、哲学の根本事象としての「問い」について歴史・理論・実践の三点をみてきました。以上の洞察は哲学の根底にあるので、時代ごとに変わったりしません。しかし、私たちが生きる21世紀の哲学にとって「問い」はあらためて重要な課題となります。先どりすると、「問い」は「人間」を新しく考えなおすことを、今日の私たちに求めています。

分析哲学と現象学：意味の探求

今世紀の哲学にも色々ありますが、その多くは19世紀末から20世紀初頭に形成された分析哲学と現象学の流れに属します。両者に共通するのは、哲学的思考がかならず前提とする「意味（sense）」に注目して「先だつもの」を探求することです。現象学と分析哲学の源流であるエドムント・フッサール（1859‐1938）とゴットロープ・フレーゲ（1848‐1925）は、19世紀後半の主要な論理学思想だった心理学主義――論理法則を心のはたらきである思考作用によって説明する立場――に反対し、思考される意味の秩序――特に論理学――は、個々の人間の心理とはまったく異なる位相にあることをともに主張しました。心理学でおこなわれる推論は論理法則を前提とするのだから、心理学で論理学を根拠づけるのはおかしい、という発想です。こうして、思考がそもそも思考であるために前提となる「意味」が哲学にとっての先だつものとみなされます。

ただし、分析哲学と現象学では、「意味」への取りくみが異なります。

分析哲学――といっても色々ありますが――で、ゆるやかに共通するのは「言語」と不可分のものとして意味をとらえることです。この場合、意味への取りくみは、日常生活で話される自然言語や、記号的に表現される形式言語の成りたちを「分析」することになります。ここから、たとえばルートヴィヒ・ウィトゲンシュタイン（1889－1951）の『論理哲学論考』における「私の言語の限界が私の世界の限界を意味する」という発想が出てきます。[9]

これに対し、やはり人それぞれの現象学がだいたい一致するのは、意味が実現される場として「経験（experience）」を重視することです。経験とは、各自の視点において何かが受けとめられることです。たとえば、机の経験において、私たちには形態などの知覚情報や、デスクワークなどの使用状況が受けとめられます。その際、「机が丸く見えること」も「机で事務仕事をすべきこと」も机をめぐる意味ですが、これらは常に言語によって表現されるわけでなく、大抵は暗黙のうちに理解されています。こうして、経験は非常に微妙なしかたで言語を包摂し、言語よりも広い意味の媒質となります。フッサールはこの経験の「記述」を現象学の課題とします。

言語と経験をめぐる認識と存在の順序

さて、言語と経験のそれぞれについて、認識の順序と存在の順序が探求されてきました。認識の順序にしたがうと、語や文などの言語の構成要素、また知覚などの経験の構成要素を出発点として、それぞれが何かを指し示すありかたを検討してゆくことになります。たとえば、米国の分析哲学の出発点となったウィラード・Ｏ・クワイン（１９０８－２０００）は、この世界に何が存在するかを検討するために、「ＳはＰである」という文が真となる条件、つまり実際に何かを意味するための条件を考察します。彼の答えは「ＰであるＳの存在が承認されていること」という循環したものです。この承認が「存在論的コミットメント」と呼ばれます。また、フッサールは「志向性」、つまり「何かに向かっていく」意識の性格に注目して、意識と対象の意味上の相関関係を記述します。彼は、この関係を「何が受けとめられようとはじめに理解されるもの」とみなし、これを解明することで認識活動を基礎づけられると考えました。

これに対し、存在の順序にしたがうと、言語を使用するありかたや、経験が現に推移する

9　ルートヴィヒ・ウィトゲンシュタイン（２００３）『論理哲学論考』野矢茂樹訳　１１４頁　岩波書店

しかたにそくして、意味が実現されるありかたを検討することになります。たとえば、現代米国を代表する分析哲学者であるロバート・ブランダム（1950-）は、言語の意味を「～だから～である」と表現される「推論」における役割として規定します。これを「推論主義」と言います。たとえば、「稲妻」と「雷鳴」という語の意味を理解することは、「稲妻が光った」から「雷鳴が聞こえるだろう」を推論できることととらえられます。そうすると、ブランダムにとって、何かを指し示す言葉のはたらきが存在するためには、言葉を他者とともに実際に使っている社会的関係が先だっていなければなりません。[10] また、すこし似たしかたで、ハイデガーは、フッサールが言う意識の志向性――「稲妻を見る」という意識――が成りたつためには、それに先だって、道具のような有意味な事物によって構成される環境――雷雨により損なわれる生活環境など――に他者とともに関わりあっていなければならないと主張します。世界とのこうした原初的関係は「世界内存在」と呼ばれます。

経験の哲学の重要性

21世紀の哲学は、分析哲学であれ現象学であれ、さまざまな立場に分かれているので、「現代の哲学は～だ」と一まとめにできません。とはいえ、意味がそこで成立する媒質として、経験は言語より幅広いものです。そうすると、経験がベースにある広義の現象学のもっとも急進的な展開、すなわち意味の場としての経験の成立条件をもっともラディカルに掘り下げるしかたを見届けることで、間接的にですが、今日の哲学全体を射程におさめる視点を得られるはずです。この展開は、存在の順序にしたがって、各自の視点でそのつど受けとめられる経験の前提──先だつもの──をさかのぼるしかたでおこなわれます。その出発点となったのは、上述したハイデガーの「世界内存在」の概念です。さらにハイデガー以後、ハンス・ヨナス（1903 - 1993）、メルロ＝ポンティ、レヴィナス、ミシェル・アンリ（1922 - 2002）、ポール・リクール（1913 - 2005）といったさまざまな哲学者が、世界内存在よりも存在の順序でさらに先だつプリミティブな経験として、身体や自然、他者、自己感情、歴史的物語などの事象を取りだしていきます。

人間概念の批判的検討

重要なのは、この潮流の深化とともに、「人間」の概念に注目して、その批判的検討やさ

10　参照：白川晋太郎（2021）『ブランダム　推論主義の哲学』第2章　青土社

らには解体を主張する哲学が現れたことです。ここで言う「人間」とは、生物学上の種ではなく、経験において何かを受けとめる当事者のことです。この人間について深刻な疑義が生じたわけです。

そのもっとも有名なものは、しばしばポスト構造主義と呼ばれるフランスのミシェル・フーコー（1926-1984）の主張です。フーコーは、世界的に読まれた『言葉と物』（1966）で、近代以降の学問がよって立つ言説の枠組み（エピスーテーメー）を詳細に分析し、18世紀末以降から今日にいたるまで学問諸領域の根幹に置かれる「人間」の概念が、それ以前の時代――17世紀の古典主義時代――にはない歴史の産物であることを示しました。その帰結として、フーコーは次の有名な言葉を残します[11]。

こうした配置（エピステーメー――著者注）が、あらわれた以上消えつつあるものだとすれば、われわれがせめてその可能性くらいは予感できるにしても、さしあたってなおその形態も約束も認識していない何らかの出来事によって、それが十八世紀の曲り角で古典主義的思考の地盤がそうなったようにくつがえされるとすれば――そのときこそ賭けてもいい、人間は波打ちぎわの砂の表情のように消滅するであろうと。

これは「どんな知識も時代によって変わる」といった陳腐な主張ではありません。仮にそうだったら、フーコー自身も現代以外の時代を理解できなくなるでしょう。そうでなく、彼は、意味の場である経験の根底にある多元性をここで主張しています。なぜ多元的になるのでしょうか。経験とはそれぞれの視点から何かを受けとめることですから、現にその経験が生じていなければそれについて語れません。その際、自分の経験の外にあるものは誰にも経験できないので、経験はその当事者にとってある意味で唯一のものです。しかし、この唯一性はあくまでそのつど経験が生じているかぎりで成りたつものでしかなく、それを超えた普遍性を持ちません。そうすると、論理的には、現代の私たちが受けとめているのとは異なる経験構造の可能性を認めなければならなくなります。現代とは異なる経験構造へとさかのぼるこのような課題をフーコーは「考古学」と呼びます。こうして、自分を経験の中心の視点として特別視する「人間」――カントやハイデガーが念頭にあります――は、考古学によって中心性を剥奪（はくだつ）され、その消滅が予言されます。

11　ミシェル・フーコー（２０２０）『言葉と物〈新装版〉』渡辺一民・佐々木明訳　４０９頁　新潮社

その後、現代思想のキーワードである「脱構築」の主導者ジャック・デリダ（1930－2004）や現代イタリアを代表するジョルジョ・アガンベン（1942－）も、「動物」をキーワードとして、経験の当事者である「人間」の特異な中心性を批判的に検討します。ここで言う動物とは、人間の視点中心性を持たない存在者、つまり人間から見て「人間ではない」生物です。ハイデガーが、1929／1930年の講義『形而上学の根本諸概念』で、人間と動物のこうした区別を提案しました。一方、これを批判的に受けとめたデリダは、『精神について』（1990）で、経験はそのつどかぎりの偶然的なものなのだから、ある存在者（人間）を経験の中心にすえて、別の存在者（動物）をそこから線引きすること——当事者としての人間中心主義——は批判的に検討しなければならないと主張しました。人間の特異性そのものは否定されないが、人間を人間たらしめる視点中心性をたえず検討しなおすべきだというわけです。また、アガンベンはさらに批判的考察を進めて、人間の中心性ははじめからあるものでなく、もともと人間のうちにあった動物性を抑圧した結果でしかないと述べます。こうして、人間は、経験という哲学の根本次元への特権的アクセスを剥奪されて、他の無数の存在者——植物、石、三角形、太陽、シャーロック・ホームズなど——と並列されるものへと徐々に変化してゆきます。この人間の脱中心化の傾向は、今世紀のオブジェクト指向存在論を標榜するグレアム・ハーマン（１９６８-）や思弁的実在論のクァンタン・メイヤスー（１９６７-）によって、極端なまでに展開されています。両者が共有するのは、居あわせる当事者（人間）がまったくいなくても有意味に語られる存在者、つまり、視点の存在を完全に超えた実在です。

こうして、今日の広義の現象学において、人間は他の無数の存在者に内在化され、埋没してゆきます。これは、加速度的に多極化して中心を失っていく現代世界――政治経済でも、サイバー空間でも――の現実をなにがしかすくいとる哲学です。このような多元的な世界と時代に身を置いている点では、他の種類の現象学も分析哲学も変わりません。

「問うもの」としての人間の不可欠さ

ですが、今日の私たちは、哲学のこのような状況を超えて、異なるしかたで思考すべきです。さきにみたとおり、問いのはたらきは、認識と存在の二つの順序を包摂するものとして、哲学における究極の「先だつもの」です（40頁参照）。当然、このことは現象学における存在の順序にも当てはまります。ハイデガーやその後の現象学者が取りくんだのは、「経験が成立するために、その成立以前になければならない」という意味での先だつものの探求です。

たとえば、「犬!」という発話が有意味であるためには、発話する以前に、犬に関わる行為――「逃げる」や「かわいがる」など――の状況が先だっていなければなりません。このような「経験において常にすでに前提となるもの」を、現象学を中心とする哲学では「事実性(ファクティチテート)」と呼びます。ハイデガーから思弁的実在論にいたる哲学者は、この事実性を掘りさげて、その結果、経験に居あわせる当事者――それは思考する本人でもあります――を脱中心化してきたわけです。

しかし、これだけでは事実性の掘りさげとして不十分です。なぜなら、常に前提となるものを論じるためには、「これまで明確でなかったが、確かにそういうものがあった」と見えるようにする探求活動、つまり、問いかけあう対話がなければならないからです。たとえば、デリダの動物論は、当事者である人間の視点中心性の不確かさを「見えるようにする」はたらき、つまり「問い」がなければ、議論として成りたちません。「問うもの」なしには、デリダの哲学そのものが消えてしまいます。また、フーコーがエピステーメーの歴史的変容を説くとき、経験構造が現代のものから変わりうるという不確かさを「見えるようにする」はたらきがなければ、彼は自分が何を主張しているか理解できなくなるはずです。こうして、対話としての「問うもの」こそが、もっとも根源的な事実性となります。

現代哲学における「人間」とは

ここから、21世紀の哲学の課題としての「人間」の姿が新しく浮かび上がります。それは、経験の当事者の視点中心性をどれほど解体しても、まさにその行為によってそのつど現れでてしまう、そうした人間です。そこには、ハイデガーが動物に対置した視点中心性がありません。なぜなら、問うものとしての人間は、存在であれ神であれ、自我であれ自然——動物もその一部——であれ、哲学のあらゆる事象の手前にそのつど虚焦点のように遍在するからです。つまり、この人間は、動物のような「人間でないもの」との区別によって「人間」となったりしないし、そうしたものとして哲学の特権的事象となることもありません。

しかし、そうは言っても、この人間には哲学のあらゆる事象のなかでもっとも謎めいた性格があります。それは、哲学の問いこそ、そこから哲学の全事象がそのつど新しく立ち現れる究極の特異点だということです。あらゆる事象は、人間が問いを交わして何かが「問題になる」ことで、「事象」としてはじめて見えるようになります。こうしたものだから、問うものである人間は、非人間（動物）との区別によって規定されるデリダが取りあげた人間概念よりも原初的です。人間こそ、そこからすべての謎が浮かび上がる、哲学の根本問題です。

とはいえ、なぜ問うものを人間と呼ぶべきなのでしょうか。それは、問いのはたらきが、古代以来の人間の規定である「魂の配慮」の前提となるからです。ソクラテスが魂の配慮を説いたことをすでに述べましたが、自己への配慮によって人間を規定した哲学者は他にも数多くいます。たとえば、代表的なラテン教父のアウグスティヌス（354 - 430）は、山海や天空に好奇心を向けてみずから自身のことを忘れ去ってしまう人間の姿を批判していま す。[12] 16世紀フランスのモラリストであるモンテーニュ（1533 - 1592）も、「わが精神にとって、もっとも骨の折れる、もっとも重要な研究とは自己を研究すること」だと述べて、[13] 人間がみずから自身をこそ気づかうべきだと言います。これとは異なる人間の規定として、たとえば動物の毛皮や牙を持たないかわりに技術と社会をつくった「欠陥存在」（プロタゴラス〈紀元前490頃 - 前420頃〉やゲーレン〈1904 - 1976〉）がありますが、自分の欠陥をおぎなうことは魂の配慮の一環です。また、「理性と技術」や「死すべきもの」といった重要な人間の規定もありますが、これだっておのれを気づかうはたらきがなければ考えられません。魂を配慮しなければ、理性と技術は不必要になり、自分が不死かどうかも問題にならないでしょう。

さて、これらの伝統的な人間概念が想定する「魂の配慮」は、本当は問いのはたらき、つまり問うものを前提とするはずです。なぜなら、魂を配慮するためには魂が問題になることが必要ですが、魂が問題になるためにそれははじめに問われねばならないからです。言い換えると、何かを不確かで問題になるものとして見えるようにするもの、つまり問うものがいなければ、私たちは魂を配慮できなくなります。こうして、伝統的な人間概念の根底に、21世紀の課題としてあらためて取り戻されるべき人間の姿が浮かび上がります。人は人であるかぎり、すでに問うていて、そして問いつづけます。皆さんが存在することの根底に、いつでも問いが蠢いています。

12　参照：アウグスティヌス（２０１４）『告白Ⅱ』山田晶訳　２４８頁　中央公論新社
13　ミシェル・ド・モンテーニュ（２０１４）『エセー　６』宮下志朗訳　74頁　白水社

第2章
「ある」への問い

中世哲学

超越範疇
あらゆるものに適用できる概念

存在の一義性

学派の対立

存在の現実態

ドゥンス・スコトゥス
(1266頃 - 1308)

トマス・アクィナス
(1225頃 - 1274)

カントの
認識論的カテゴリー
可能性が現実性に
先立つ

I・カント
(1724 - 1804)

神の死

F・ニーチェ
(1844 - 1900)

現代哲学

経験をベースとする
存在と神の探求

西田幾多郎
(1870 - 1945)

M・ハイデガー
(1889 - 1976)

「存在」をめぐる語りあい（第2章の主な登場人物）

パルメニデス
（紀元前515頃 - 前445頃）

アリストテレスの
存在論的カテゴリー
現実態が可能態に
先立つ

アリストテレス
（紀元前384 - 前322）

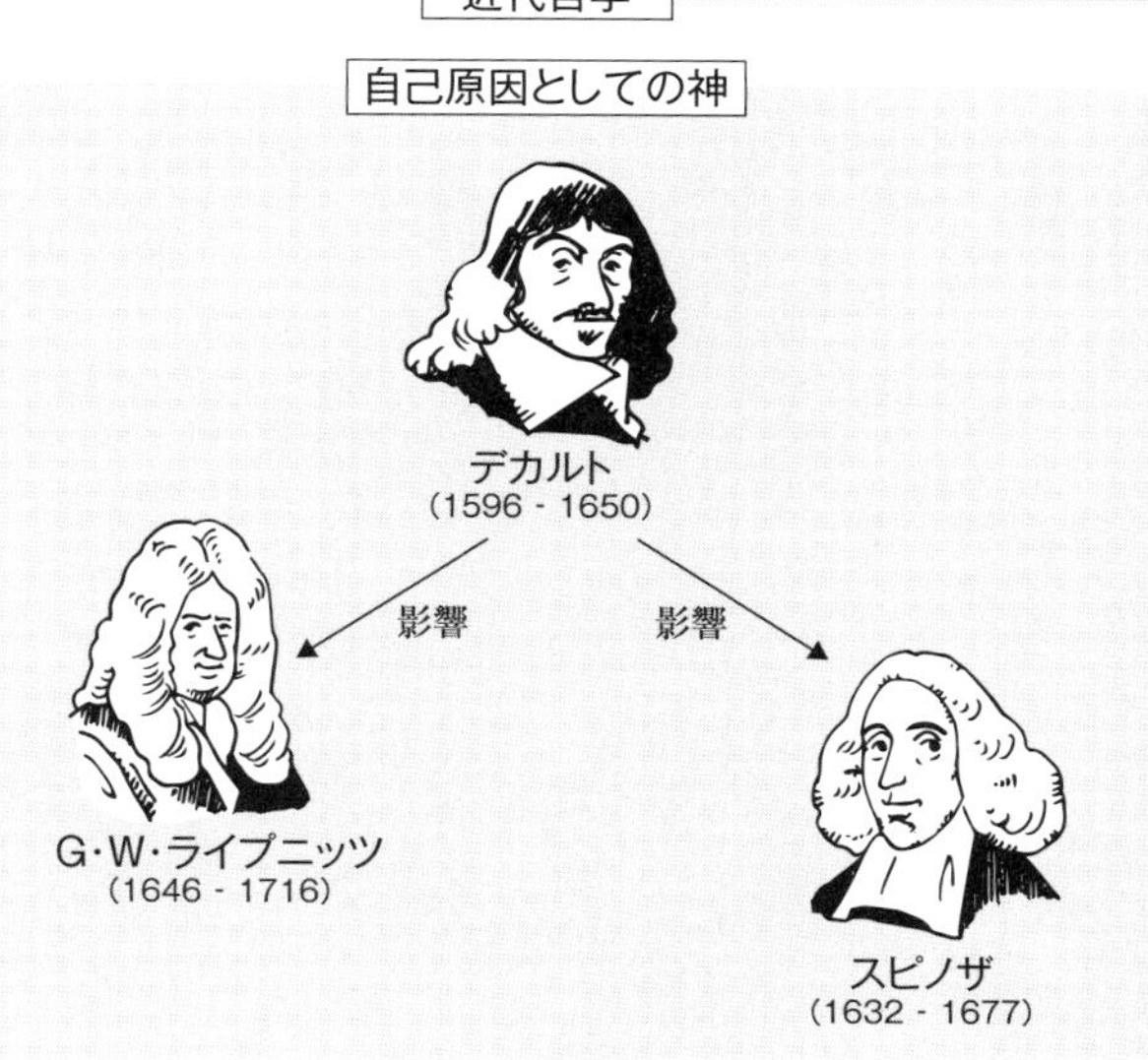

2・1 「ある」こそがもっとも謎に満ちている

ここでは、哲学の問いが取りあげてきたなかで、もっとも不確かな事象についてお話しします。それは不確かさがそこに「ある」という原初的な事実です。これは伝統的に「存在」と呼ばれてきました。存在は、考えうるかぎりもっとも当たりまえで、だからこそもっとも不思議なものです。この不確かさに向きあう人間の問いかけは「存在論」と呼ばれます。

「ある」の普遍性

問題となる事柄を素朴な言葉で描きます。

前章でみたとおり、存在は何にでも当てはまる不思議な事象です。私たちの普段の暮らしで考えましょう。部屋のなかを見まわすと、手近に机やコーヒーカップが目に入ります。机やコーヒーカップについて、私たちは当たりまえに「ある」と言います。これらは目で見て手で触れられるもの、つまり感覚的な事物です。感覚的事物は、部屋の壁、屋外の地面、地球、地球外の天体と果てしなく広がります。自然科学が研究するのも、高度な物理学における例外をのぞけば、だいたい感覚的事物です。

また、本棚には子供に読んで聞かせる絵本が並んでいます。絵本に出てくる架空の人間や動物について、子供たちは「どうしてこの熊さんは~するの?」と聞き、私たちは「熊さんはお腹が空いたからだよ」と答えたりします。このとき、私たちは絵本のキャラクターが机と同じ意味で存在するとはまったく思っていません。ですが、嘘をついたり不まじめに話しているわけでもありません。私たちは、フィクションに固有のしかたで大まじめに「熊さんは~である」と語ります。その意味で、フィクションの事物も「あり」ます。もちろん、感覚的事物とフィクションを厳格に区別して、前者にのみ「ある」を用いたい哲学者はたくさん——ラッセルなど——います。しかし、小さな子供は、新聞やテレビでしか見たことがない有名人の存在と、絵本でしか見たことがない一角獣の存在をあまり区別できなそうです。そして、どんな人でももともと子供であり、成人してもしばしば子供と同じ立場に立ちます。

さらに部屋を見まわすと、数学の教科書が開いていて、三平方の定理を図解しています。しかし、教科書に印刷されている図形は、厳密には三角形ではありません。なぜなら、幾何学の定義上、三角形の各辺をなす直線には太さがなく、太さがないものはインクで表現できないからです。かくして三角形のような数学的対象は明らかに感覚的事物ではありません。

けれど、私たちはやはりまじめに「三角形は〜である」と語っています。目で見たり手で触ったりするわけではないですが、私たちはなんらかのしかたで三角形を認識しています。この点で、数学的対象についても固有のしかたで「ある」を語ることができます。

ここでは感覚的事物、フィクション、数学的対象しか取りあげませんが、日常の素朴な言語使用において、私たちは他にも果てしなく多くの種類のものについて「〜である」や「〜がある」と語っています。宇宙も「ある」し、素粒子も「あり」ます。民主主義国家も「ある」し、貨幣経済も「あり」ます。また、レオナルド・ダ・ヴィンチの絵画も「ある」し、サイバー空間のフェイクニュースも「あり」ます。こうして、存在はあらゆるものに遍く(あまねく)ゆきわたり、その外部には文字どおり何も「あり」ません。私たちがどこにいても、何をしていても、そのつどいつでも存在に関わりあっています。この意味で、存在はあらゆる事象のなかでもっとも自明なものです。

どうしても近づけない

しかし、自明な事象は、近づきがたいものでもあります。

ものの喩えとして「足の裏」を思い浮かべてください。二足歩行するとき、皆さんは足の裏の上に立ちます。家でも会社でも学校でも、いつでも足の裏の上に立って、皆さんは行動しています。足の裏は皆さんにとって、いつでもそこにあるもっとも自明な前提です。けれど、皆さんは玄関や会社に向かっては歩けますが、足の裏に向かっては決して歩けません。なぜなら、歩こうとしても、踏みだす足がいつでも足の裏の上に立っているからです。きっとたどり着けませんが、別の銀河や宇宙の境界に向かってなら歩こうと試せます。けれど、自分の足の裏に向けて歩くことは試そうとすらできません。

これと同じことが存在についても言えます。存在はいつでもそこにありますが、それについて考える私たちも存在するので、どれほど存在を解明しようとしても、当の思考の足下に事象が退いてしまいます。存在は、あまりにも当たりまえすぎて他のすべての前提となるので、自分の網膜が見えないように、それだけを取りだして考えられません。

存在の超越

「あまりに自明なので逆にわからない」という存在のありかたに、哲学者たちは２６００年以上ずっと取りくんできました。すでに触れたように、先ソクラテス期のパルメニデスは、存在を、決して過ぎさらない「永遠の今」と性格づけて、存在の究極の遍在性を強調します

（34頁参照）。しかし、だからといって存在はいつでもとらえられる手軽な事象とはなりません。まったく反対に、パルメニデスは、死すべき有限な人間が「思いなし（ドクサ）」という日常の信念に囚われて、存在の真理からかけはなれていることも忘れずに述べます。

哲学の伝統では、この二重性は「超越」の問題として考察されます。アリストテレスは、存在の意味を数種類に区別したうえで、それらのすべてに共通する「存在」の根本意味を検討しました。存在といっても「〜である」や「現実である」などさまざまな意味があるなかで、それらが等しく呼ばれる「存在」の内実を考察したのです。そこで示された答えは「類比（アナロギア）による統一」と呼ばれるものです。類比による統一とは、たとえば「血色がいい頬」と「バランスのよい食事」と「名医」がそれぞれ別物なのに等しく「健康」に関わるものと理解される、そうした統一のことです。これと同じように、「〜である」や「現実である」といった意味が関係づけられるあて先が「存在」の根本意味となるとアリストテレスは考えました。こうして、存在は、さまざまな意味で具現されつつ、それらの意味がめがけるあて先としてしか把握できない「超越」となります。

超越範疇

ここで、存在の超越が理解されるしかたに注目してください。「あまりに自明なので逆にわからない」というとき、「実感としてそのように受けとめている」か「そのように言いあらわしている」かのどちらかです。前者は存在の経験、後者は存在の概念です。

両者をめぐって、中世哲学では「超越範疇（トランスケンデンティア）」についての重要な議論がおこなわれました。超越範疇とは「存在」のようにあらゆるものに適用できる普遍的な概念のことです。この普遍性はきわめて特異なものです。というのも、「生物」や「物体」のような通常の一般概念が事象の内実によって拘束される――石は生物と呼べません――のと違って、すでにみたとおり「存在」は内実にかかわらず、あらゆる事象に適用できるからです。

スコラ哲学の巨人トマス・アクィナスの考えでは、超越範疇の適用において、適用される事象（存在）が実際にありありと現れていなければなりません。トマスはこれを「存在の現実態（アクトゥス・エッセンディ）」と呼びます。前の喩えで言うと、足の裏の上に実際に立っているときにだけ「いつでも『足の裏』がある」と述べるような考えかたです。

この立場は、後年のドゥンス・スコトゥス（１２６６頃‐１３０８）やフランシスコ・スアレス（１５４８‐１６１７）によって変質させられます。彼らは、経験でなく、私たちの思考における概念としての存在にそくします。それによると、存在は私たちが何を思考しようと、はじめに理解されるものだから超越的な普遍性を持つことになります。言うなれば、実際に立っていなくても、「立っているなら、かならず『足の裏』がある」と考えるような立場です。スコトゥス研究者のホンネフェルダーが指摘するように、この転換はデカルト以降の近代哲学に道を開く重大なものです。[14]

経験と概念の両義的関係

存在の経験と存在の概念の関係は両義的です。存在の概念が空虚な記号のたわむれでなく、実質あるしかたで理解されるためには、それに先だって存在を実際に経験していなければなりません。存在をいかなる意味でも経験したことがなければ、存在の概念は無意味な文字列「テケムコ」と同じくらい空疎です。しかし他方、存在の概念をどれほど分析しても存在の経験にはたどり着きません。つまり、概念と経験のあいだには隔たりがあります。たとえば、机の概念があっても机が現実に存在するとはかぎりません。存在の概念は、存在の経験を前提としますが、これから隔てられてもいます。

哲学者たちはそれぞれのしかたでこの両義性に向きあいました。たとえば、ドイツ古典哲学の代表者であるイマニュエル・カント（１７２４‐１８０４）は、主著の『純粋理性批判』で、「存在はレアールな述語ではない」という有名な言葉を残しています。ここにある「レアール」とは、「事柄の具体的な中身を左右する」ということです。たとえば、「一万円」といっても、「存在する一万円」といっても金額はまったく変わりませんよね。これにより、存在の概念は「レアール」でなくなります。こうして存在概念の中身のなさを指摘することで、カントは、中世以来の神の存在論的証明による「神の概念には存在がふくまれるから、神は存在する」という論法を批判しました。概念と経験の隔たりをこうして強調することは、カントの批判哲学の基本精神です。ただし、カントには別の面もあります。『純粋理性批判』の主題である「アプリオリな総合判断」とは、概念が経験をつかみとることです。こうした判断の可能性を証明しようとしたのだから、カントは、概念が経験に関わることをはじめから暗に前提としていたはずです。実際、彼は、概念と経験の関係を説明するなかで、「構想力」という心の能力が暗黙のうちに両者を橋渡ししてしまっていると述べます。

14　参照：Ludger Honnefelder (2005) *Johannes Duns Scotus* C. H. Beck

経験と概念のこうした両義的関係は、存在の「あまりに自明なので逆にわからない」性格のニュアンスを左右します。つまり、存在のわからなさは概念にとってのもの、「概念による言いあらわしから身を退けてしまう」わからなさになります。卑近な喩えで言うと、私たちは一つの机を「大きい」「清潔」「事務用」などと概念で規定できるし、規定をどこまでも精確にできます。けれど、そうしたところで机の記述が果てしなく並べられるだけで、当の机が現実にある事実は絶対に再現できません。このとき、「他でもないこの机が確かに目の前にあるが、それは言いあらわせない」と言いたくなるでしょう。これと同じように、存在のわからなさも、経験そのものの問題でなく、もっぱら経験と概念の隔たりに由来すると考えたくなります。『論理哲学論考』のウィトゲンシュタインが、世界の存在そのものを神秘と呼んで、それは語りえず、「示される」のみだと述べたとき、彼はこのことを前提したはずです。[15] そこでは、不確かなのは概念による認知であって、認知されるべき経験そのものに不確かさは認められません。

自明だからこそ不確かに

しかし、以上のとらえかたは「あまりに自明なので逆にわからない」性格の解釈として適切でしょうか。認知的解釈によれば、存在の「足の裏」のようなわからなさは、「どれだけ歩いても、足の裏にはたどり着けない」という意味でわからないものです。けれど、足の裏はたどり着けないのでなく、そもそもそこに向けて歩こうとできないものです。なぜなら、それは歩こうとする当の足の裏面だからです。これと同じように、概念的に思考するもの自身も存在するものなので、思考は存在から身を引き離して、それについて考えることがまったくできません（この文章自体も同じです）。

ただし、存在は、否定によってしか語れない隠されたものではありません。足の裏と同じように、当たりまえすぎて誰もそれに注意を払えないだけです。たどり着けないのでなく、たどり着こうとする試みが意味を持ちえないほど当たりまえな事象、それが存在です。こうしてみると存在のわからなさは、認知の不確かさではなく存在そのもの、つまり認知されるべき存在の経験そのものの不確かさとなります。自明であるからこそ、存在そのものが不確かなのです。後期哲学へと転じたハイデガーや、近代日本哲学を代表する西田幾多郎（１８

15　ルートヴィヒ・ウィトゲンシュタイン（２００３）『論理哲学論考』野矢茂樹訳　１４８‐１４９頁　岩波書店

70－1945）は、それぞれ「出来事（エアアイグニス）」と「場所」という言葉で、存在のこうした二重性を語りだしています。

2・2 神をとらえる試み

ここまでみた存在論は、「ある」という原初的事実の不確かさに向きあう人間の問いかけです。しかし、人間は哲学の歴史よりも長いあいだ、同じ不確かさに別のしかたでも問いかけてきました。それは神への問いです。世俗化が進んだ――近代化によって宗教の力が弱くなっている――現代の皆さんにとって、「神」は宗教への信仰がなければ無縁に感じられるかもしれません。けれど、特定の信仰を前提せずとも、哲学の問いにとって「神」はもっとも重要な事象の一つです。

「ある」のそのつどの新しさ

ふたたび素朴な言葉で考えます。さきほど、なんにでも当てはまる「存在」の性格をみました。コーヒーカップ、童話の熊さん、三角形、宇宙と素粒子、その他なんであれ、それぞれはそれぞれのしかたで存在します。また、これでは存在するものを羅列しただけですが、視野を広げると、異なる存在者は、お互いに異なる文脈にありながら、なにがしかともに存在しています。たとえば、コーヒーカップ――感覚的事物――を片手に童話の熊さん――フィクション――について子供と語れるし、宇宙と素粒子の物理法則は数理的に記述されます。関係の遠い近いはありますが、存在者同士のこうしたゆるやかな関係はいくらでも際限なく広がります。つまり、それについて「存在」が語られる存在者は、本当はただ一つで孤立したものでなく、関係のネットワークで結びつけられています。

注目すべきは、この「『存在する』ということ」の性格です。「事実」とは「そのつど、実際にそのように成りたっている」という事実」です。ここで言う「そのつど」とは、その事実が成りたったときの時間位置です。たとえば、コーヒーカップも童話の熊さんも永遠の昔から存在したわけではないし、将来存在しなくなる可能性もありますが、少なくとも現代の人間はその存在を理解しています。この場合、現代の人間が生きる「そのつど」、両者はそのように成りたっています。そして、ここが重要ですが、「そのつど」成りたっているとは、実のところ一回ずつ新しく現れることに他なりません。なぜなら、ちょうどみたように、一つの「そのつど」において成りたつものが、別の「そのつど」において成りたつ保証などないからです。「そのつど」の事実は、存在者が成りたつたびに語られる複数的なものですが、この複数の事実はそれぞれ交換不可能な独立の個性を持ちます。これは哲学の術語で「単独性（シンギュラリティ）」と呼ばれます。

「ある」の内なる「他」

この「新しく現れる」性格に焦点を絞りましょう。たとえば、林のなかを散歩していて、目の前にウォンバットが現れるとします。現れてしまえば、そこにはウォンバットが存在する事実があります。けれど、ウォンバットが現れ、る、ことと、ウォンバットがそ、こ、に、い、るこ、と、は同じでしょうか？　もちろん、現れてしまえば、ウォンバットはそこにいます。しかし、「現れる」には「現れていない」から「現れる」へと移行する動きがあるのに対して、「そこにいない」と「そこにいる」はスイッチのように不在と存在が切り替わるだけです。つまり、ウォンバットが「現れること」は「そこにいること」に収まりません。同じことは、「ウォンバット」を「宇宙」やその他あらゆる存在者に置きかえても言えます。こうして、現れることは存在と不可分でありながら、存在を超えでる「到来」の性格があります。

ここで、「ある」という存在の事実の不確かさが新たに見えてきます。それは、この事実に一定の境界線が引かれることです。前節でパルメニデスに触れたとおり、なんにでも当てはまる存在は、一見すると外部がなく偏在するもの、つまり境界線で区切られることなく、すべてをみずからのうちに同一化するものです。けれど、「ある」の内には、当の「ある」に同一化できない到来の運動が編みこまれています。これにより、「ある」の同一性は無限に広がるのでなく限界があるものとなり、その意味で、みずからの外部に関係づけられたものとなります。つまり、「ある」は、その広がりを区切る内なる境界線によって、「ある」に、同一化されないものとしての「他」に差し向けられています。ただし、この「他」は「ある」との関係でのみ成りたつので、それだけを切り取って論じることはできません。そんなことをしたら、「他」は結局「あるもの」として「ある」に同一化されてしまうでしょう。「他」は、パルメニデスの存在とは反対に、到来したら一瞬も立ちどまらずに過ぎさります。

無からの創造

いつでも到来しているが、いつでも過ぎさっている。この風のようなありかたは、伝統的に「神」と呼ばれるものの特徴へとみちびきます。ウォンバットであれ宇宙であれ、あらゆる存在者は、「他」が到来することではじめて、存在者として成りたちます。これは、さまざまな宗教と神学で神概念の核心となる世界創造に繋がります。たとえば、キリスト教などの一神教では、神による世界の「無からの創造（クレアチオ・エクス・ニヒロ）」が説かれます。

ギリシア人が「無からは何も創造されない（エクス・ニヒロ・ニヒル・フィット）」と考えたのに対して、ヘブライズムの創造説は、神がまったくの無から存在者をはじめて存在させたと考えます。もちろん、これ自体は信仰の問題であって、本書が正当化すべきものではありません。けれど、存在の事実を成就させる「他」の到来は、存在が前提されない所でいきなり存在が始められるという創造説の発想を、信仰を持たないものにも実感させてくれます。

信仰の神と哲学者の神

さて、前節で、存在の超越が理解されるしかたについて、「実感としてそのように受けとめている」と「そのように言いあらわしている」の二面――経験と概念――を区別し、そこから存在論の歴史を概観しました。これと同じく、神をめぐる哲学の問いの歴史も、経験と概念の緊張関係によって織りあげられます。

存在と同じく、「いつでも到来しているが、いつでも過ぎさっていること」もまずは経験上の理解から始まります。たとえば、旧約聖書でモーセが神とめぐりあう有名な場面をみましょう。羊を追って神域に入りこんだモーセは神に呼びかけられ、神を見ることを恐れてとっさに目を覆います。目隠ししたまま名前をたずねたモーセに、神は自分が「ありてある者」だと答えます。ここで、神は、目に見える感覚的なしかたで現れないし、そもそも人間によってつかみ取られるいかなるしかたでも現れません。けれど、神はその場に到来しています。中世哲学研究の泰斗エティエンヌ・ジルソン（１８８４‐１９７８）が述べたように、中世哲学を代表するトマス・アクィナスの神概念の根幹である「ある（エッセ）」も、この系譜にあります。[16]

これとは反対に、経験するだけでなく、到来と過ぎさりを言葉で言いあらわすとどうなるでしょうか。それは、「そのつど」の事実に先だち、これをはじめて成立させるものを概念で説明することです。これは哲学の術語で「根拠」と呼ばれます。たとえば、『形而上学』のアリストテレスは、自然全体の変化の究極の根拠としての「不動の動者」を語り、その探

16 エティエンヌ・ジルソン（２０１４）『キリスト教哲学入門』山内志朗監訳 松本鉄平訳 慶應義塾大学出版会

求を「神学（テオロギケー）」と呼びました。自然のあらゆる事物の変化には「なぜ変化したか」の根拠があるから、根拠の系列をさかのぼれば、自然全体の変化の根拠にたどり着く、という発想です。

この二つの神概念は異なります。前者の経験としての神は人間理性を超える「信仰の神」です。これに対して、後者の概念としての神は、世界を合理的に説明するために導入される「哲学者の神」です。

神は神自身が形づくる

近代にはいると、神をめぐる経験と概念の関係が転換しました。これは、近代において新しく神の本性とみなされた「自己原因（カウサ・スイ）」の問題にあらわれます。ここでは、現象学者のラズロ・テンゲイの研究にしたがって説明していきます。[17]

自己原因とは、あるものがみずからの存在の原因となる、という奇妙な考えかたです。「東京駅が原因となって東京駅が存在する」なんて言ったら、常識はずれもいいところですよね。それでは、なぜ神はこのように性格づけられるのでしょうか。

近代の自己原因論はデカルトに端を発します。彼の発想はこんな風に整理できます。まずデカルトは、全知全能の神の「測り知れなさ」を経験として実感しています。彼にとって測り知れない神は全知全能であり、存在しないことなど考えられません。けれど次に、彼はあらゆる存在者について、それが存在する原因を問えるはずだとも考えます。これは神にも当てはまります。ここから最後に、デカルトは、神の存在は確かに原因を必要としないが、それは神の測り知れなさが神自身の存在の「原因あるいは理由（カウサ・シヴェ・ラチオ）」になるからだと結論します。つまり、経験される神の圧倒的な存在性が、神の存在を説明する概念的根拠になるというのです。言い換えると、ここで信仰の生々しさをもって受けとめられる神の経験は世界を合理的に説明する神の概念に組みこまれ、その一部へと変化します。

デカルトの死後、合理主義の哲学者はこうした発想をさらに徹底します。オランダのバルーフ・デ・スピノザ（１６３２‐１６７７）は、因果関係を論理的な理由づけの関係ととらえなおして、自己原因を、神の概念そのものから神の存在がみちびかれることと解釈します。さらに、ドイツのゴットフリート・ヴィルヘルム・ライプニッツ（１６４６‐１７１６）は、原因という言葉すら放棄して、神がみずからの存在の概念的な「理由（ラチオ）」になると

17　László Tengelyi (2014) *Welt und Unendlichkeit* Verlag Karl Alber.

述べます。こうして、神をめぐる経験と概念の緊張関係において概念の優位が確立されていきます。

神の死

しかしその後、神に対する哲学の問いは、神の概念の根源的批判へと反転します。なぜなら、いったん神の概念が経験から切り離されてしまうと、どれほど論理的に精緻でも人間によって語られるだけの神でしかなくなり、結局、神より人間のほうが根本的なものとなるからです。人間が理屈をこねまわした創作物でしかないなら、実際には神などいないし、そもそも人間にとって本当は重要でない、とすら感じられます。これが「神の死」の問題です。ヘーゲルなど先駆者はいますが、この主題でもっとも有名な哲学者はフリードリヒ・ニーチェ（１８４４－１９００）です。ニーチェは『悦ばしき知識』でこんな力強い描写をしています。[18]

神だって腐るのだ！　神は死んだ！　神は死んだままだ！　それも、おれたちが神を殺したのだ！　殺害者中の殺害者であるおれたちは、どうやって自分を慰めたらいいのだ？

世界がこれまでに所有していた最も神聖なもの最も強力なもの、それがおれたちの刃で血まみれになって死んだのだ［…］それをやれるだけの資格があるとされるには、おれたち自身が神々とならねばならないのではないか？　これよりも偉大な所業はいまだかつてなかった。

「最も神聖」で「最も強力」な神が自分の創作物でしかないと理解するとき、人間は神の殺害者となります。なぜなら、神という絶対的根拠を捏造できる人間の存在こそが、神の根源性をあけすけもなく否定してしまうからです。とはいえ、そんなものを捏造できる人間も驚くべきものです。ここからニーチェは、後年の「力への意志」に繋がる、「神の死」を生きる人間の本能的な創造性のモチーフを展開していきます。

神の経験への回帰

では、そうすると「神」はキリスト教や神道などの個々の宗教の問題であり、哲学の問題

18　フリードリッヒ・ニーチェ（１９９３）『悦ばしき知識』信太正三訳　２２０頁　筑摩書房

としては消えさってしまうのでしょうか。そうではありません。というのも、世界を根拠づける概念としての神が死んでも、そのつどの経験に到来する神は否定されないからです。この神は、コーヒーカップや童話の熊さんが織りなすありふれた日常のあらゆる場面で、何かが「ある」という実感とともに到来しています。このことは、宗教をまったく信仰しない人にとっても、また、宇宙と生命の起源が神の創造でなくビッグバンと進化であると考える人にとっても通用します。

もちろん、この神は全知全能のような大層な力は持ちえないし、崇拝したいものですらないかもしれません。けれど、私たちが生きる日常の足もとにいつでも到来している「他」は、「私たちには決して手が届かず、意のままにできないが、いつも直面しているものがある」という差異をはじめて理解させて、自分の現実がすべてだと思わない謙虚さと、みずからをかえりみておこないを正していく責任感を持たせます。20世紀以降の哲学における神への問いが取りあげるのも、この経験としての神です。現象学者のディディエ・フランク（1947-）が述べるように、ハイデガーとレヴィナスはこの点で軌を一にします。[19] また、西田幾多郎も最晩年の宗教論で、それ自体は消えさることによって日常のあらゆる存在者を存在させる神について論じています。[20]

2・3　カテゴリーにより深まっていく問い

概略的ながら、存在と神に人間が問いかけて、また答えたしかたをここまで確認しました。哲学の伝統において、この答えにあたるもの、つまり多種多様な存在者の根底にあるこれらの基礎的事実がとらえられるありかたを「カテゴリー」と呼びます。カテゴリーは「ある」の根本秩序です。カテゴリーもやはり哲学の基本問題の一つです。

ニーチェのカテゴリー批判

とはいえ、ここまでみたように存在と神が不確かなものなら、「カテゴリー」という発想そのものが疑わしくならないでしょうか。だって、「存在と神はしかじかの秩序を持つ」とカテゴリーを語っても、存在も神も、語りだした瞬間にそこから退きさってしまうのですか

19　ディディエ・フランク（2015）『他者のための一者』米虫正巳・服部敬弘訳　法政大学出版局
20　西田幾多郎（1989）「場所的論理と宗教的世界観」『西田幾多郎哲学論集Ⅲ』所収　岩波書店

ら。さきほどの喩えを繰り返すと、地面に着いていようと離れていようと、足の裏に向けては歩けません。この点をみると、形而上学の徹底した批判者であるニーチェが伝統的なカテゴリー概念を激烈に批判したことにもそれなりの正当性があります。彼は1887年秋に執筆した草稿で次のように述べます。[21]

我々の認識器官・感官のすべては、生の維持と発達という条件にそくしてのみ展開される。理性とそのカテゴリーへの信頼は、［…］生にとっての有益さという経験上明らかなことを証明するだけである。つまり、その《真理》を証明などしない。

ここでは、2000年も「ある」の根本秩序とみなされてきたカテゴリーが、生存に役だつだけの道具にすぎず、真理などではないと喝破（かっぱ）されます。というのも「根本秩序」である以上、カテゴリーはあらゆる個別的・具体的な現実に先だって前提されるはずですが、その場合、カテゴリーそのものの正しさを確かめる証拠がないからです。ここからニーチェは、カテゴリーの使用に確かな根拠などなく、現実を固定化したほうが生きるのに便利だからそういう虚構を創作しただけだ、と結論しました。一見すると、本書のここまでのお話からも同じ立場がみちびかれそうです。けれど、本当にそうでしょうか。

カテゴリーを語るとは

カテゴリーを語るとは何をすることかを考えましょう。「カテゴリー」の語源は「告訴する」をあらわすギリシア語の「カテーゴレイン」です。誰かを法廷に訴えるとき、私たちは「誰々にはしかじかの罪がある」と、被告人がいかなる人物かを述べたてます。こうすることで、私たちは被告人に窃盗や詐欺などのありかたを帰属させます。こうした意味合いを引きついで、哲学におけるカテゴリーは、ある事象になんらかのありかたを帰属させること一般を意味します。典型的には、「この人はソクラテスだ」や「ソクラテスは色白だ」のように、ある事象について言葉で「それはしかじかだ」と述定することです。また、哲学において中心的に論じられるのは、任意の事象が持ちうるもっとも根本的なありかた、つまり「ある」の根本秩序です。

21　フリードリヒ・ニーチェ（１９８５）『ニーチェ全集　第十巻（第Ⅱ期）』清水本裕・西江秀三訳　32頁　白水社（一部改訳）

そして、こうした述定をおこなうとき、私たちは問いかけて答える対話に身を置きます。「この人はソクラテスだ」と答えるのは、「あれは誰だ」と問われる場合だし、「ソクラテスは色白だ」と答えるのは「ソクラテスはどんな人物だ」と問われる場合です。哲学史に照らしても、カテゴリー概念の出発点となるのは、勇気や美などさまざまな事象についてソクラテスが投げかけた「それは何か（ティ・エスティン）」という問いです。さきほど示唆したとおり、カテゴリーを語るとは、哲学の問いに答えることです。

それでは、哲学の問いに答えると、事象の不確かさは失われ、ニーチェが批判したように固定化されてしまうでしょうか。そんなことはありません。カテゴリーの語りがどこから始まり、どこにたどり着くかに注意しましょう。始まりは「それは何か」という問いです。日常の対話では、その問いに「それはウォンバットだ」などと答えます。はじめの不確かさはこれでひとまず解消です。しかし、「それは何か」という問いは、いくらでもつづけられます。「ウォンバットとは何か」と問われたら「それは生物だ」と答えられるし、「生物とは何か」と問われたら「それは自然の事物だ」と答えられます。こうして問いと答えを重ねるなかで、目の前にいる特定の動物の不確かさは、もっと幅広い一般的な事象の確かさに支えられてゆきます。では、このプロセスは最後にどこにたどり着くでしょうか。それは「ある」

であるはずです。なぜなら、自然であれその他のどんな事象であれ、何か「或るもの」である以上、その根底で「ある」という事実を前提とするからです。つまり、「それは何か」という問いへの最後の答えは「ある」です。この「ある」は、絶対にいつでも前提となるから、考えうるかぎりもっとも確かな答えです。けれど、もっとも確かな答えは他のすべての答えの前提なので、それ自体を支える前提はありません。それゆえ、「ある」という答えの確かさは、まったく根拠のない不確かさと変わりません。「それは何か」の問いに答えるカテゴリーは、ニーチェの批判とは反対に、答えの無根拠さによって事象の究極の不確かさを体現しています。

ここで浮かび上がるのは、哲学の問いの終わりでなく、不確かさをあらわにすることで、新しい問いを呼びさます語りとしてのカテゴリーの姿です。この点を、カテゴリー概念の歴史を代表する二人の哲学者にそくして確認しましょう。

アリストテレスの考察

第一の代表者はアリストテレスです。アリストテレスのカテゴリーは一般に「存在論的」と呼ばれます。これはカテゴリーが事象そのものの内なる成りたちを示すことを意味します。

日常の対話で「それは何か」と問われるとき、もっとも身近に問題となるのは、私たちが世界を見まわして目にする個々のものです。たとえば、ウォンバットは地球上に何万頭もいますが、私たちが「それは何か」と問うとき、はじめに「このウォンバット」や「あのウォンバット」のような個々の特定のウォンバットを問題にします。アリストテレスは、「ある」が語られるこれらの身近な個々の事象――哲学の術語で「個体」と言います――にそくして、その事象の内なる成りたちを考えようとします。

アリストテレスのカテゴリーの中心となるのは「実体（ウーシア）」の概念です。彼は、私たちが世界を見まわして「それは何か」と問う個体のすべてについて、「それは実体だ」と答えます。実体概念は、やや早い時期の『カテゴリー論』と後年の『形而上学』とで変化するので、その内容をそれぞれ検討しましょう。

『カテゴリー論』における第一実体

『カテゴリー論』では、日常言語の秩序にそくして、「それは何か」という問いの究極の答えである「実体」概念が示されます。これは、さまざまな意味で語られる「ある」の根本基盤です。

たとえば、日常の会話では「白くある」や「二つある」、または「隣にある」や「非道な仕打ちをされてある」と、現実がいかに「ある」かが語られます。その際、「白くある」が表現する「白さ」は、それだけで「ある」でしょうか。つまり、何ものにも属さない白さだけが存在できるでしょうか。それは決してできません。むしろ、「白くある」と言うとき、私たちは「ウォンバットは白くある」のように白さの担い手を暗黙のうちに前提とします。同じことは「二つ」や「隣に」や「非道な仕打ちをされて」にも言えます。このようにさまざまな属性の担い手となって、それらの属性を成立させるものを、アリストテレスは「基体（ヒュポケイメノン）」と呼びました。そして、白さや「ウォンバット」の名が語られるのは個々の特定のもの――「ある特定のウォンバット」――なので、もっとも根本にある基体が個体だとされます。『カテゴリー論』では、このある特定のものとしての個体が「第一実体（プローテー・ウーシア）」と呼ばれます。

重要なのは、この第一実体が、単にさまざまな属性の担い手であるだけでなく、ある「何か」として、たとえば「ウォンバット」としてとらえられることです。ギリシア哲学研究の井上忠さん（１９２６‐２０１４）が強調したことですが、言葉を用いて世界について語るとき、私たちはいつでも具体的な意味を持った個体に関わりあっています。たとえば、日常の会話で「ハンマーが重すぎる」という状況を想像してください。大工仕事をして疲れたので、いつもの道具が重く感じられます。私たちが自然に言葉を話すのは、このような具体的な行為の状況です。そこには状況に固有の個体が無数に存在します。この場合、重すぎて手に余るこのハンマーです。それでは、そうした日常の言語使用が関わる個体から「ハンマー」のような「何であるか」を定める意味をはぎとって、具体的意味をまったく持たない白色無記のものを取りだせるでしょうか。普通はできません。なぜなら、日常の個体が特定の生活動作――大工仕事――の状況に置かれる以上、個体ははじめから「ハンマー」と呼べるものとしてのみ存在するからです。言い換えると、「ハンマー」という言葉を発する手前で、ハンマーという意味を持つ個体が現れています。井上さんの表現を借りるなら、こうした有意味な個体がはじめに「つかまれて」いるから、私たちは「ハンマーが重すぎる」と個体について言葉を重ねられるのです。『カテゴリー論』で「第一実体」と呼ばれるのは、この有意味な個体です。

なお、アリストテレスは、第一のカテゴリーである「実体」にくわえ、実体に支えられる他のカテゴリーとして、「量」「質」「関係」「場所」「時」「態勢」「所持」「能動」「受動」を挙げます。一般に「アリストテレスのカテゴリー概念」という場合、この10種類のカテゴリーを意味します。

「形相」と「質料」と「結合体」

その後の『形而上学』で、実体概念は変化をとげます。『カテゴリー論』の第一実体は「何」かであるもの――「ある特定のウォンバット」など――としてつかまれるだけでした。これに対し、『形而上学』では、この「何」が独立させられ、「本質」という実体の構成原理となります。「本質」の原語の「ト・ティ・エーン・エイナイ」は直訳すると「それがあったところのものであるもの」となる奇妙な表現です。この「あった」という過去形に注目してください。たとえば、目の前の動物について「それは何か」と問われて「それはウォンバットだ」と答えるとき、その動物は、答える前からすでにウォンバットだったものとして受けとめられます。また、言表以前にすでにウォンバットだったという性格は、発話者に左右されない個体の自立した存在を示します。本質概念の過去性格はこのように理解できます。

また、『形而上学』の実体概念はもう一つ重要な発展をみせます。これによりアリストテレスは、この世界の事物がたえず変化している事実を説明しようとします。たとえば、目の前にいるウォンバットは、何年か前は母親の胎内にあって、「ウォンバット」とは呼べない未受精卵でした。この場合、現在の個体の本質が「ウォンバット」であっても、過去のその個体はまだウォンバットでなかったわけです。人工物のハンマーも、もとは木材と鉄でした。同じことは、生成変化する自然界のすべてに言えます。それゆえ、世界を形づくる個体が「何」か（本質）を言うだけでは、「存在」への問いにきちんと答えていません。そこでアリストテレスは、実体を「形相（エイドス）」と「質料（ヒュレー）」の二契機から構成されるものとしてとらえなおします。

「形相」は、実体が「何か」を定める構成原理です。ひとまず「本質」と同じだとしましょう[22]。アリストテレス本人の例で言うと、青銅の像があった場合、像を像たらしめる形が形相にあたります。文字どおりの視覚形態だけでなく、ウォンバットのような生物なら、その生物をその種たらしめる活動原理――個体維持、生殖など――が形相となります。これに対して「質料」とは、形相にそくして形づくられる具体的な素材です。青銅の像なら材料の青銅が、ウォンバットならその骨や肉が質料にあたります。そして、形相と質料の組みあわせは「結合体（シュノロン）」と呼ばれ、これこそが絶えまなく変化する世界を織りなす実体だとされます。つまり、形相をまだ現実化していない質料から、形相を現実化する結合体への変化によって、私たちが日常的に「つかんで」いる個体が成立するわけです。

ここで、考察の出発点があくまで「つかまれて」いる個体――ある特定のウォンバット――であることに留意してください。アリストテレスが強調するように、変化の結果である個体（結合体）がまず実際に与えられていて、[23] そのうえではじめて、実体の生成を説明する形相と質料の概念が導入されます。こうして、アリストテレスにおける根本カテゴリーである実体は、うつろいゆく感覚的世界の生々しさをすくいとって、「ある」の問いに肉薄します。

可能態と現実態

さて、ここで疑問を感じないでしょうか。形相と質料の区別は、形相と質料が現実に結合している場面から考察されます。これは自然な議論です。なぜなら、形相と質料は、結合体という完成品の設計図および材料としてしか意味を持たないからです。ハンマーという完成品を前提しなかったら、鉄は「材料」でなくただの鉄だし、ハンマーの設計図は「設計」の

22　アリストテレス（１９５９）『形而上学（上）』出隆訳　２４９頁　岩波書店
23　注釈22と同書　３１１頁

意味がないただの図形です。それゆえ形相・質料論は、それが説明すべき個体が現実に成立している視点でしか語りえず、その視点から「ハンマーになりうる鉄」のような完成品になることが可能なものを区別するわけです。とはいえ、こうしてまとめると、アリストテレスの実体概念そのものを支える前提がまだ残されていることが浮き彫りになります。それは、実体が与えられるしかたにある「現実に」や「可能な」という表現にみてとれます。

『形而上学』では、実体概念のあと話題がかわって、「可能態（デュナミス）」と「現実態（エネルゲイア）」という概念が考察されます。これは、今日で言う「可能性」や「現実性」などの「様相（モダリティ）」に対応するもの、つまり、ある事象が与えられる確かさをあらわす概念です。「可能態」は、実体の形相がまだ現実化しておらず可能性としてのみある状態です。また、「現実態」は形相が現実化した状態です。青銅の像で言うと、まだ像に成型されていない青銅は可能態で、実際に像になった青銅は現実態です。ウォンバットで言えば、未受精卵は可能態で、生育した成体は現実態です。現実態にあるものは、その名のとおり、もっとも確かに存在します。

そして、形相・質料論における結合体の前提性におうじて、アリストテレスは、現実態のほうが根源的である、つまり可能態よりも現実態のほうが先だつ概念だと言います。これは次の有名な言葉にあらわれます。[24]

現実態は、実体においても、より先である。そのわけは［…］その生成において後であるものども（現実態にあるもの――著者注）は、その種またはその実体においてはより先であるからである。

ここでいわれるのは、可能態にあるものが存在するためには、現実態にあるものがすでに成立していなければならないということです。さきほど述べたとおり、ハンマーの材料が「これから『ハンマー』になるべきもの」（可能態）として成りたつためには、ハンマーという完成品がすでに現実（現実態）に成立していなければならないからです。このことは、アリストテレスの探求にとって重大な意義を持ちます。つまり、『カテゴリー論』の第一実体から出発した「それは何か」の問いは、『形而上学』の実体をへて、この実体がそれとして成りたつために前提とする確かさ（現実態）を取りだしたのです。繰り返すと、現実態とは、

24　アリストテレス（１９６１）『形而上学（下）』出隆訳　41頁　岩波書店

たとえば「ある特定のウォンバット」が現実に成りたつ事実そのものです。これを広げるなら、アリストテレスの探求は、無数の個体からなる世界の存在、つまり「ある」の事実の究極の確かさにつきあたったわけです。

しかし、この終着地でアリストテレスの「答え」の不確かさがあらわになります。繰り返すと、形相・質料論によって生成変化する自然を論じるとき、彼は、個体が実際に成りたつ場面、たとえば「ある特定のウォンバット」が現実に与えられる場面に立脚しています。アリストテレスが現実態の根源性を主張した理由の少なくとも一つはここに求められます。けれど、そうであれば、現実態そのもの、つまり個体とその世界が現に与えられる事実そのものについては、それを前提とするしかなく、それが「何か」を答えられないでしょう。現実態とは「それは何か」に答えるものがそこに立たざるをえない基盤なので、足の裏と同じで、それ自体が「何か」を言えないものとなるはずです。実際、アリストテレスは、現実態そのものを定義しようとすべきでなく、類比によってのみ語るべきだと言います。[25] こうしてみると、アリストテレスが次のように言うとき、実体を「答え」として予告するにもかかわらず、この「答え」から「ある」をめぐる「問い」が新しく開かれることがわかります。[26]

あの古くから、いまなお、また常に永遠に問い求められており、また常に難問に逢着するところの「存在とはなにか?」という問題は、帰するところ、「実体とはなにか?」である。

カントの考察

カテゴリー概念の第二の代表者はカントです。カントのカテゴリーは一般に「認識論的カテゴリー」と呼ばれます。これは、事象をとらえる私たちの思考の枠組みとして「カテゴリー」を性格づけることを意味します。アリストテレスの存在論的カテゴリーは事象そのものに内蔵されましたが、カントの認識論的カテゴリーは事象の内的構造でなく、私たちが事象を把握する秩序という、事象そのものにとって外的なものとなります。

認識論的カテゴリーの背景にあるのは、スコトゥスやデカルトを源流とする近代の意識哲学です。平たく言うと、この哲学は、心の内部と外部を区別したうえで、「私」の心の内部

25　注釈24と同書　33頁
26　注釈22と同書　228頁

から外部の世界にたどり着くことを哲学の根本課題とみなします。心の内部は「主観」や「意識」や「自我」と呼ばれ、外部は「客観」や「自然」や「実在」と呼ばれます。この立場からすると、ウォンバットや青銅の像が存在しても、それは「私」の意識において現れるものでしかありません。ですから、ウォンバットや青銅の像について「それは何か」と問うて得られる答えも「私」の意識の範囲に限定されます。それゆえに、認識論的カテゴリーは事象をとらえる私たちの思考の枠組みとなるわけです。

アプリオリな総合判断の可能性

これにより、「それは何か」の問いは、アリストテレスとはまったく性格が違うものになります。カントは、主著の『純粋理性批判』(第一版：1781年、第二版：1787年) で、みずからの課題を「アプリオリな総合判断」の可能性を論証することとします。

「アプリオリ」は「先だつ」を意味するラテン語で、ここでは、そのつどの経験に依存せず、経験に先だって前提とされることをあらわします。「総合判断」とは、主語の概念にふくまれない内容を新しく加える判断を意味します。たとえば、「独身者は結婚していない」という判断は、もともと主語の「独身者」が結婚していない人を意味するから、主語に何も新しい内容を加えません。これが「分析判断」です。これに対して、「物体には重さがある」という判断はどうでしょうか。もちろん、ウォンバットを持ち上げれば重いように、個々の経験において物体には重さがあります。けれど、「物体」の概念そのものに「重さ」という意味がふくまれるわけではありません。それゆえ、この判断は主語に新しい内容を加える総合判断となります。

以上の二点を合わせると、「アプリオリな総合判断」とは、個々の具体的な経験に先だって、経験を枠づける判断ということになります。この枠づけの形式としてカントが考えたものが、事象をとらえる思考の枠組みとしてのカテゴリーです。カントにとって、あらゆる対象は経験において現れます。それゆえ、あらゆる対象は、経験の形式——「可能性の条件」と言います——であるカテゴリーにしたがって現れます。

とはいえ、この場合、主観的な思考秩序が客観的自然の経験を枠づけていることを証明しなければなりません。それなしには、カテゴリーは、心のなかで思っているだけのものとなり、心の外部となんの関係もなくなってしまうからです。これでは「それは何か」への答えになりません。そこで、カントの認識論的カテゴリーにとって、カテゴリーが実在にたどり着く可能性こそが根本問題となります。これがアプリオリな総合判断の可能性の問題です。

感性と悟性

こうした問題を設定するかぎり、カント哲学はカテゴリーを用いる認識主観の思考を中心として組み立てられますが、それだけならライプニッツの合理主義と変わりません。しかし、カントには認識の源泉として経験を重んじるデイヴィッド・ヒューム（1711‐1776）などの経験主義的な側面もあります。つまり、カントは主観が能動的にはたらかせる思考だけでなく、主観が受動的にこうむってしまう感覚経験も、認識の不可欠な契機だと考えました。前者が「悟性（フェアシュタント）」と呼ばれ、「自発的（シュポンターン）」な認識能力とされます。後者は「感性（ジンリッヒカイト）」と呼ばれ、「受容的（レツェプティーフ）」な認識能力とされます。感性がなければ、事象――光など――が感覚から与えられず、認識すべき中身がなくなるし、反対に、悟性がなければ、「石がぶつかったので、窓ガラスが割れた」のように異なる感覚経験を結びつけられなくなり、認識は意味を失います。この理由から、感性と悟性のどちらも認識の成立にとって不可欠なものとされます。

こうして感性と悟性を区別したうえで、カントは、両者のアプリオリな形式を論じます。まず、感性については、個々の感覚経験に先だって、空間と時間の形式がかならず前提とされます。

空間から考えましょう。たとえば、ウォンバットが見えるとき、頭と足は別のところにあります。また、この動物はある場所にいるのであって、他の場所にはカンガルーなど別の動物が見えます。さらに、当たりまえですが、ウォンバットは私たちの心の一部でなく、心の外側にあるものとして見えています。これらの視覚経験にふくまれる「別のところ」とか「ある場所と他の場所」とか「外側」といった空間の理解は、個々の事物の感覚においてははじめから前提されているから、それ自体は感覚によっては得られません。ここから、カントは、私たちの感覚経験の根底に空間形式があると考えます。

時間についても同様です。ウォンバットが見えるとき、私たちは、体の一部分――たとえば、頭――を見た後に、別の部分――たとえば、足――を見ます。また、ある場所の動物を見た後に、別の場所の動物を見ます。ここからわかるのは、私たちの感覚経験がいつでも時間的な前後関係を前提することです。それゆえ、時間もやはり感性のアプリオリな形式となります。

悟性はどうでしょうか。カントは、悟性がかならず用いる概念を「純粋悟性概念」と名づけ、アリストテレスを念頭に「カテゴリー」とも呼びます。主観の思考能力である悟性がカテゴリーを用いることは、感性が与えるバラバラな感覚情報がカテゴリーにそくしてまとめられることを意味します。たとえば、感性だけでは、ウォンバットの頭と足はそれぞれ別の空間的・時間的位置にあることとしかわかりません。けれど、私たちは頭と足について、「頭は一個あり、足は二本ある」と共通の尺度で数えたり、「頭と足は一つの身体に属する」と器官の関係を述べたりして、時空的に区別されたバラバラな事象をまとめあげます。このはたらきは「総合（ジュンテージス）」と呼ばれます。総合はカテゴリーにしたがっておこなわれます。

四つのカテゴリー

具体的には、カントはカテゴリーを四つのグループに分けて、それぞれに三つのカテゴリーを割り当てます。

1　量のカテゴリー　：単一性・数多性・全体性
2　質のカテゴリー　：事象性（実在性）・否定性・制限性
3　関係のカテゴリー：内属と自体存在・原因性と依存性・相互性

４　様相のカテゴリー：可能性と不可能性・現存在と非存在・必然性と偶然性

それぞれ簡単に確認しましょう。まず、量のカテゴリーは、対象の数的なとらえかたです。どんなウォンバットもまずひとまとまりの個体でなければなりませんが、これが「単一性」です。それが複数になると「数多性」、複数のものをすべてまとめると「全体性」です。

第二の質のカテゴリーは、対象がなんらかの状態にあるしかたをあらわします。たとえば、ウォンバットが「茶色い」や「重い」という状態にあることが「事象性（レアリテート）」です。また、「茶色くない」や「重くない」状態にあることが「否定性」、そして「かなり茶色い」や「ほとんど茶色くない」のように度合いを持った中間状態にあることが「制限性」です。

第三の関係のカテゴリーは、複数の事柄の繋がりを示します。「内属と自体存在」という硬い表現でカントが考えるのは、アリストテレスが実体と属性（偶有性）として取りだしたものです。さきにアリストテレスを検討した際、「白い」のような属性はそれ自体で存在できず、「ウォンバット」のような自立した担い手＝実体を前提することを確認しました。カントは、これを二つの事柄の「関係」としてとらえなおすわけです。これに対して、「原因性と依存性」は「石がぶつかったから、窓ガラスが割れた」のような原因と結果の関係を、そして「相互性」は自立した実体同士の因果関係をあらわします。

最後の様相のカテゴリーはやや変わりものです。というのも、量・質・関係のカテゴリーが「対象がどのようにあるか」を規定するのに対して、様相のカテゴリーは「思考する私にとっての対象の確からしさ」をあらわすからです。「可能性と不可能性」は、経験のアプリオリな形式——時間と空間・純粋悟性概念——にしたがうか否かの違いをあらわします。経験の形式にのっとるかぎり、その対象は「ありえる（可能）」し、さもなくば「ありえない（不可能）」わけです。また、「現存在と非存在」は現実に感覚されているか否かを、そして「必然性と偶然性」は「可能性さえあれば、かならず現実に存在すること」と「存在しないこともありうること」を意味します。

超越論的演繹

それでは、主観的な思考秩序であるカテゴリーは、どのようなしかたで客観的自然に当てはまるのでしょうか。皆さんは「そんなことは決して論証できない」と思いませんか？　だって、どれほど根本的な概念でも皆さんが心の内側で思っているにすぎない以上、それが心の外側に関わることなど証明できないのではないでしょうか。カントは、このような疑念を解消するために、きわめて精密で複雑な議論をします。

カントはさまざまな論点を挙げますが、とりわけ重要なものが「超越論的演繹（えんえき）」です。いかにも堅苦しい言葉ですが、意味はシンプルです。いわく、「演繹（デドゥクティオーン）」はもともと法律用語で「法律に照らした権利の証明」を意味します。つまり、法律の条文さえ前提とされれば、これにもとづいて「どんな権利があるか」を論理的に証明できることです。この言葉をカテゴリーに転用することで、カントは、カテゴリーの概念そのものにそくして、カテゴリーの客観的妥当性という「権利」を証明しようとするわけです。さきほど述べたようにカテゴリーはバラバラな感覚情報をまとめあげる——総合——べき概念ですが、超越論的演繹はカテゴリーがそうした役割を果たすものとしてふさわしいことを証明します。

客観的演繹

カントは二種類の演繹を区別します。第一の「客観的演繹」はわずか2ページの短い議論ですが、彼にとってはこちらが本質的です。なぜなら、そこではカテゴリーの客観的妥当性の証明がそこから始まってそこにたどり着くべき根本事実が浮き彫りになるからです。順を追ってこの議論をみていきましょう。

まず、カントにとって、すべての経験はそこで現れる「対象についての概念」をふくみます。仮にこの概念がなく、感覚情報だけが与えられていたら、単にウォンバットの姿が見えるだけで、ウォンバットが「複数」いるといった理解は決して得られません。しかし実際には、我々が世界について何ごとかを経験するとき、その経験には「複数」(量)のような感覚情報だけでは得られない「対象についての概念」がふくまれています。

次に、ここからみちびかれることとして、対象の認識において、対象であることそのものを普遍的にとらえる概念(カテゴリー)が、いわば世界を受けとめる際のフィルターとして、常に前提されていることがわかります。たとえば、「ひとまとまり(単一性)」や「複数あること(数多性)」です。

最後に、こうしてカテゴリーをつうじてのみ経験が成りたつなら、そもそもカテゴリーが当てはまらない経験などはじめから考えられないので、カテゴリーは客観に当てはまることになります。

この議論は明らかに循環しています。なぜなら、『対象についての概念』が経験にふくまれる」という最初の前提は、「経験対象に概念(カテゴリー)が当てはまる」という演繹の目標と実質的に同じだからです。カント自身は明言しませんが、主観的な思考の秩序が客観に関わることを証明するためには、つまるところ、客観が思考の秩序にしたがっている事実を「現にそうなっている」と示すしかありません。

主観的演繹

第二の「主観的演繹」は、この事実を前提しつつ、主観がどのように客観をみずからの思考の秩序にしたがわせているかを描きます。つまり、そこで課題となるのは、客観に妥当するカテゴリーを主観が*どの*ように思考しているかです。これを論じるために、カントは、客観的演繹よりもはるかに多くのページを割いており、しかも、1781年の第一版と1787年の第二版とで全面的に内容を書き換えています。ハイデガーなど少なからぬ哲学者は第一版の演繹を重視しましたが、ここではカント自身がより優れていると考えた第二版の演繹を紹介します。

哲学史家のディーター・ヘンリッヒ（1927-）が強調したように、第二版の演繹は、主観の概念的な思考能力（悟性）の根本意義を強調する一方で、悟性に還元されない感性の独立の意義もまもる二元的な態度をみせます。[27]

まず、なんらかの対象を認識している状態を想像してください。またウォンバットに登場してもらいましょう。たとえば、皆さんは「ウォンバットは一匹である」や「子供を産んだ」と認識します。これについてカントは、それらの認識のはたらきに「私は考える（イッヒ・デンケ）」という意味がつけ加わると主張します。つまり、ちょうど挙げた二つの認識は、実際には『『ウォンバットは一匹である』と私は考える』と『『子供を産んだ』と私は考える』と書き換えられねばならないというのです。これはわかりやすいですよね。だって、「私は考える」と言えなければ、皆さんは「認識しているのは自分だ」と理解できず、認識しているかどうかわからなくなるのですから。観客がいない映画館では実際に映画を上映しているか誰もわからないようなものです。ここから、カントは「私は考える」と理解できることこそが、認識が成りたつための根本前提だと言います。これは「統覚（アペルツェプチオーン）」や「自己意識」とも呼ばれます。とはいえ、「統覚」なんて日常生活で絶対に言わないので、以下でも「私は考える」と書かせてください。

「私は考える」がつけ加わると、多様な経験が私の意識として統一されます。この統一のはたらき——「統覚の総合的統一」——をさらに詳しくみましょう。繰り返すと、カントは悟性と感性を区別して、受容的な感覚能力である感性に空間と時間のアプリオリな形式を認めました。いわく、私たちがこうむる感覚の中身は「頭」や「足」などバラバラで多様だけれど、この多様なものは時空の形式によりまとめられるのでした。まさにこの点にカントは着目します。そのつどの偶然な感覚内容にカテゴリーが妥当することは絶対に論証できません。しかし、どれほど多様でも、感覚は時空形式によってまとめられる点で《統一されたもの》という意味を示します。その際、この統一は感覚経験そのものにおいて示されるのであって、外側から「統一」という概念が押しつけられたわけではありません。けれど、この統一性を理解するには感覚経験だけでは足りません。喩えると、目が見えるだけでは、紙に描かれた黒い線を「直線」として見ることはできないようなものです。そうでなく、直線を見られるのは、「直線」が何かを知っていて、さらに描こうとできる人だけです。これと同じように、感覚経験の「統一」を理解するために、私たちははじめに自分で「統一」のはたらきを遂行していなければならないが、この統一性を支えられるのは「私は考える」だけである。このようにカントは考えるわけです。ここまでくればあとは簡単で、感覚経験の統一と「私は考

27　ディーター・ヘンリッヒ（１９７９）「カントの超越論的演繹の証明構造」『カント哲学の体系形式』所収
門脇卓爾監訳　理想社

える」の統一がこうして不可分である以上、「私は考える」際の活動、つまり思考能力を発揮する際にかならず使用される根本概念としてのカテゴリーもかならず経験の対象に当てはまることになります。

まとめると、主観的演繹はこんな順序で進みます。（1）経験は時空形式によって統一されています。（2）しかし、この統一を理解するために、「私」自身が経験を統一していなければなりません。つまり、経験はカテゴリーを使う「私」なしでは成りたちません。（3）それゆえ、「私」が使うカテゴリーは経験の対象に妥当します。

両者の根本的な違い

ここで、アリストテレスとカントのカテゴリー論の根本的な違いが際だちます。さきほどみたとおり、アリストテレスにとってカテゴリーは事象の内的構造であり、この構造は「現実態」を、つまり事象が現実に与えられていることを根本基盤とするのでした。カントはこれと反対になります。つまり、ちょうど確認したように、カントのカテゴリーは、「私」が関わりうる可能性の広がりとしての経験について語られており、それゆえ、現実性ではなく可能性を根本基盤とします。カントはこの可能性の広がりを「可能的経験」と呼び、次のように言います。[28]

可能的経験とのこうした根源的関係なしには、認識の客観との関係はまったく理解されえない。認識のあらゆる対象は可能的経験においてあらわれる。

経験を統一する「私」が関われる範囲でアプリオリな時空形式を備え、それゆえにカテゴリーが妥当する経験の場、つまり可能的経験が開かれます。この「可能性」は、アリストテレスとは逆に、「現実性」や「必然性」よりも根源的なものとなります。なぜなら、「私」が関わる可能性の広がりがなければ、カテゴリーの適用対象が個々の場合に現実にあることも、あらゆる場合にかならず成りたつことも考えられないからです。こうして、カントは、主観と相関する可能性の場において、「ある」の問いに答えました。そして、「私」が関われる可能性の範囲において、哲学の問いの答えであるカテゴリーは確かな答えとなるわけです。

28　Immanuel Kant (1998) *Kritik der reinen Vernunft* Felix Meiner Verlag p.94　景山訳

「経験の場」の成りたち

カントは、認識論的カテゴリーの確かさを確保する課題が、超越論的演繹とそれにつづく幾つかの論点で十分果たされると考えました。しかし、彼はそこで止まらず、『純粋理性批判』をさらに書きつづけます。最後に、その主要部の「超越論的弁証論」を手みじかに紹介します。予告すると、ここで、いったん確保されたカテゴリーの確かさの「足の裏」のような不確かさが、カント哲学に独特のしかたで浮き彫りになります。

繰り返すと、「『あの家は大きい』と私は考える」や「『窓ガラスが割れたのは石がぶつかったからだ』と私は考える」といった風に、私たちが認識によって関わりうるすべての経験(可能的経験)において、カテゴリーは対象に当てはまります。主観と関わりさえすればいいので、関わりうる経験の場は、自然科学をふくめてほとんどすべての事柄——ウォンバットであれブラックホールであれ——を包みこみます。しかし、ここで疑問が生じます。この場のうちで現れる対象はいいとして、場そのものについて私たちはどう考えるべきでしょうか? 個々の事物を見ることはできますが、事物がそこで見える場所は見えるでしょうか?

カントの超越論的弁証論が取りくむのはこうした問いです。そこで主題となるのは、「魂(「私」)」と「世界」と「神」です。

この三者が論じられる理由を考えましょう。可能的経験とは「私」が関わる可能性の場のことでした。この場そのものの成りたちを解明するためには、何が必要でしょうか。

第一に、「関わる」可能性をになう「私（魂）」が問題となります。これは「誤謬推論（パラロギスムス）」という箇所で論じられます。第二に、場そのものの成りたちに迫る際、取りこぼしがあってはいけないので、「私」が関わりうる場の全体をとらえねばなりません。そのために、現在だけでなく、現在（後件）の背景の過去（前件）にさかのぼり、経験の系列のすべて、つまり「世界」を論じる必要があります。これは「二律背反（アンチノミー）」という箇所で論じられます。最後に、場そのものの成りたちとは、つまるところ場そのものが成りたつ事実ですから、この事実を説明してくれる世界の根拠としての「神」を論じるべきです。これは「純粋理性の理想（イデアール）」という箇所で説明されます。

カントによれば、この三者のどれも人間には認識できません。というのも、何かを認識するためにはそれが感覚されなければならないのに、魂も世界も神も目で見たり手で触ったりできないからです。しかし、カントは単に消極的にこれらの主題を否定するのではありません。反対に、認識を超えるとらえがたさを強調することで、「ある」の答えを求める哲学の運命を提示することこそが彼の眼目です。この事情を、「統制的理念（レグラティィーヴェ・イデー）」という「世界」に関わる概念で確認しましょう。

立方体の全側面を同時に見る

「世界（経験系列の全体）」を把握するために、カントは後件から前件にさかのぼる「背進」の論法を使います。たとえば、目の前にウォンバットがいたら、それ以前に両親が、もっと前には進化上の最初のウォンバットが、さらにさかのぼれば生命の誕生や宇宙の始原もあったはずです。では、こうして背進すると、いつか最終地点にたどり着けるでしょうか？　絶対にできません。なぜなら、どれほど原初的な条件——ビッグバンなど——にさかのぼっても、「それに先だつものがないか」と思考できるので、背進の可能性が残りつづけるからです。それゆえ、「世界」は個々の対象と異なり、「これ」と指させる客観になりえません。しかし、ちょうど例示したように、決してたどり着けなくとも、経験の系列全体をカバーしようと試みることはできます。ここからカントは、「世界」をそれに照らしてすべての経験がまとめられるが、そのものには実体がなく、無限にさかのぼるように要求するだけの「規則」としてとらえて、これを「統制的理念」と呼びました。

フッサールの事例を借りて「理念」という発想を実感しましょう。なんでもいいので立体を想像してください。私たちはいつでも特定の側面――木箱の横側・上側など――からそれを眺めていますす。私たちは一度に一つの視点にしかたてないので、すべての側面は同時に見られません。身体を動かして新しい側面をつぎつぎに見ることはできるけれど、視角は無限に分割されるので、どれほど回りこんでもすべての側面は見尽くせません。そのかぎり立体の側面の全体は決して見えないものです。しかし、当然ながら、眼前の木箱や机はひとまとまりの物として、現にそこにあります。無限に多くの側面があっても、それらの側面のすべてがそのひとまとまりの立体に属します。そもそも、この全体に属さなければ側面は「側面」という意味を失ってしまうでしょう。それゆえ、側面しか見えなくても、全体はいつでも前提とされています。

カントの「理念」もこれと同じです。経験系列の全体である「世界」は、私たちがいつでもそのただなかに立つ前提ですが、それにたどり着くことは絶対にできません。こうしたところに、アリストテレスとは異なるしかたで、カテゴリーの語りが立つ場そのものが当の語りから逃れさってしまう事情があらわれます。「問い」に取り憑かれてしまう理性のこの運命のような不確かさを、カントは次のように言いあらわしています。[29]

人間の理性は、その認識の類において、問い（フラーゲン）にさいなまれる特別な運命にある。理性自身の本性によってその問いがおのれに課されているから、理性はその問いを退けられない。だが、理性はそれらの問いに答えることもできない。というのも、その問いは人間の理性のあらゆる能力を超えているからだ。

2・4　人間が挫折したとき「ある」は姿をあらわす

本章では、「ある」の問いの基本論点として、存在・神・カテゴリーについて概観しました。ここで賭けられていたのは、私たちが身を置く現実の根本基盤と、それを言いあらわそうとする私たちの言葉の可能性です。哲学は、またおそらくは宗教や芸術も、すべての事物、すべての人びととの繋がりにおいて、人間が生きる現実の基盤を明らかにすることをめざします。そのかぎり、それは人間が手にしうる究極の確かさへの希求です。

ニーチェにおける問い

けれど、その最終地点で、人間は存在と神を言葉で語ろうとして、結局、言葉そのものの不確かさをあらわにしてしまいます。そして、皮肉なことに、まさに人間が挫折する瞬間においてこそ、もともと探し求められていた事柄、あらゆる実在の根底の事実はおのれを示します。

ここで、第1章でお話しした「問い」と「事象」の関係を思いだしてください。問いかけあう対話としての「問い」において、あらゆる哲学の「事象」が問われるべき不確かなものとして「見えるように」なるのでした。このことは、何よりも先にこの章の内容に当てはまります。つまり、究極の根底を求める人間の言葉の挫折こそが、あまりにも自明すぎて逆にもっとも不確かである存在と神をそれとして「見えるようにする」のです。この意味で、存在も神も、問いかける人間を前提します。

生のもっとも深いところで問いにさいなまれる人間のこうした姿を、『愉しい学問』のニーチェは見事なエピソードで描きだしました。そこでは、暗い夜中に訪れるデーモンが出てきます。デーモンがささやきかけることには、これまでの人生を私たちは無限に繰り返さねばならず、世界のすべては永遠に同じものに回帰します。世界が同一のまま永遠に回帰する

29　注釈28と同書　5頁　景山訳

とは、世界には進歩というものがまったくなく、めざすべき意味も目的もないということです。このようなニヒリズムに直面させられた人間に、ニーチェは次のように自問させます。[30]

「お前は、このことを、いま一度、いな無数度にわたって、欲するか」という問い（フラーゲ——著者注）が、最大の重しとなって君の行為にのしかかるであろう！

この問いに対して、ニーチェはそんな現実を愛して受けいれるべきだと示唆します。とはいえ、なんの意味もない現実を愛するためには、それに先だって、生きるべきかどうか不確かな世界の永遠回帰に直面して、「自分はそれを意志するか？」と自問していなければなりません。意志しない可能性も念頭に置いて、このように問いかけていなかったら、運命を本当に愛することなどできないからです。ここで、カテゴリーを批判したニーチェ自身が人間存在の根底に「問い」をみています。こうしたことを考えるのは、哲学者や宗教家、あるいは芸術家だけかもしれません。けれど、「ある」の謎に取り憑かれて、これを問うてしまうことは、どんな人であれ、その現実の根底にふかく刻みこまれた可能性です。

30　注釈18と同書　３６３頁

第3章
実在への問い

実在の多元性

意味の場の実在論
世界は存在しない

M・ガブリエル
（1980 - ）

多元的実在論

H・ドレイファス
（1929 - 2017）

実在観の変遷

古代ギリシア	コスモス
中世	創造者（神）と被造物

近世

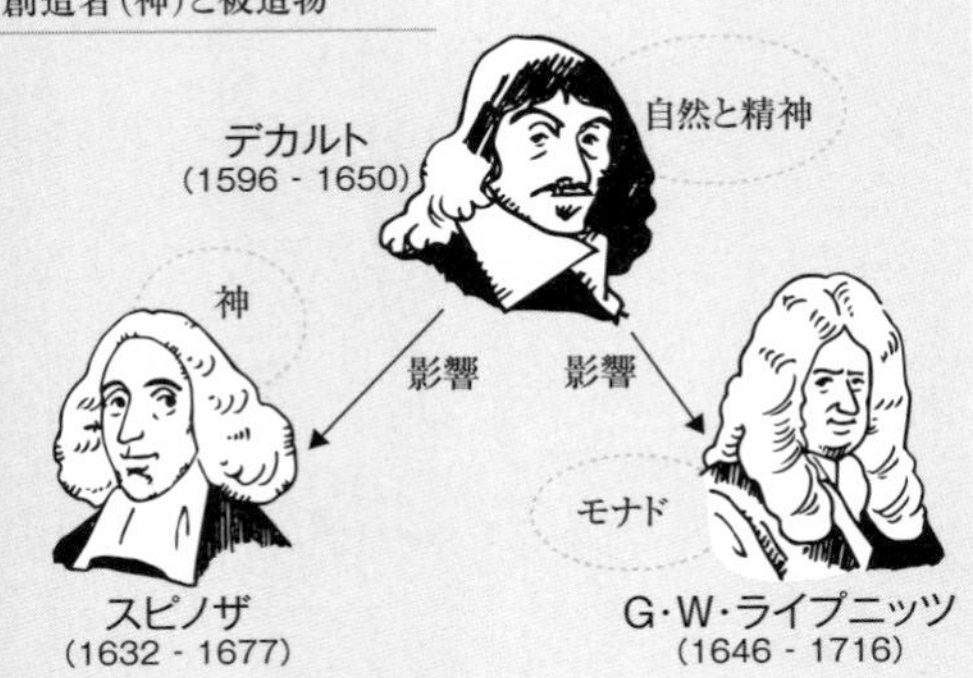

19世紀以降	自然科学の急速な発展
現代の主流	物理的実在が文化的実在（机）を基づける

「価値」の概念による
実在の解釈

21世紀にも類似の試み

H・リッカート
（1863 - 1936）

「実在」をめぐる語りあい（第3章の主な登場人物）

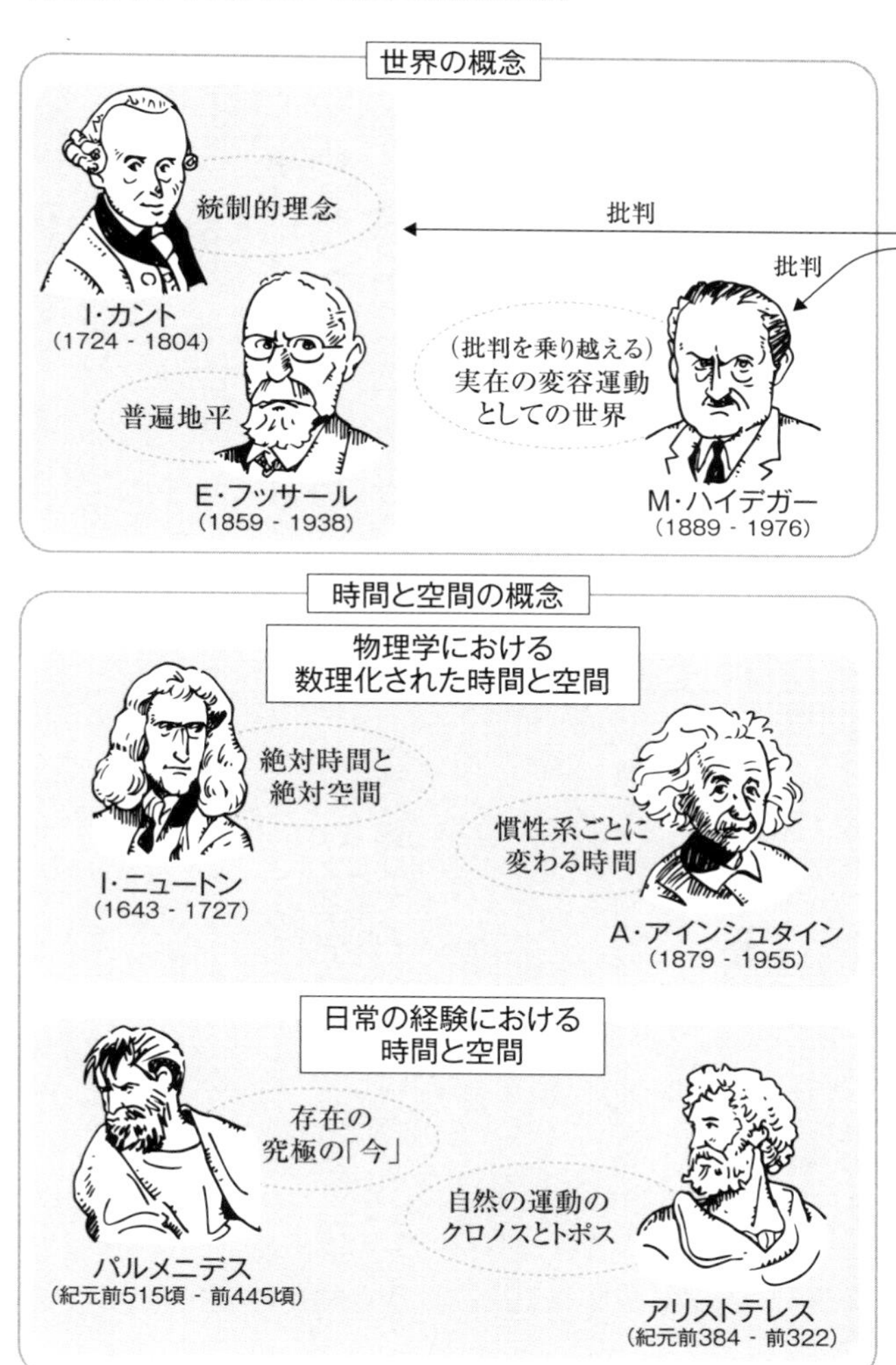

3・1　実在をめぐる基本問題

ここまで「『ある』とは何か」という問いを考えました。ここからは「あるもの」、つまり、「ウォンバットがある」や「シャーロック・ホームズがある」などのように、「ある」がそれについて語られる実在を検討します。ここで問われるのは「どんなものが『ある』か」です。論者により言葉づかいは色々ですが、本章では、どんな意味であれ「ある」と言われるものを幅広く「実在」と呼ぶことにします。

実在の日常的な多元性

日常生活では、さまざまなものが「ある」と言われます。自宅で用いる机やコーヒーカップが「ある」し、科学者が研究する銀河や量子も「あり」ます。童話の熊さんや三角形も「〜で『ある』」と言われます。もちろん、これらの「ある」は意味が違います。

机も銀河も目で見える感覚的事物です。けれど、「書くため」といった使用目的が机にはありますが、銀河の存在は人間の生活とまったく無関係です。つまり、机と銀河はそれぞれ異なった意味で「あり」ます。また、前章でみたとおり、童話の熊さんはフィクションの枠組みにおいて「ある」し、三角形も幾何学の定義において「あり」ます。

机は「ある」と言えるか？

けれど、こうしたおおらかな実在観には反論がありそうです。それによると、本当に実在するのは自然科学の研究対象だけで、そうではない人間の心の内側や机の使用目的などは付随的にしか実在しないか、そもそも実在しません。この立場を文字どおりに受けとめると、自然科学をまったく知らない人は、自分が生きる世界を皮相的にしか理解していないことになるでしょう。というのも、机もコーヒーカップも本当はただの物質だし、童話の熊さんにいたっては《「文字」というインクの染みが人間の脳内に引き起こす神経活動に付随する何か》でしかないのだから。こういう考えかたは無味乾燥かもしれませんが、それなりの説得力を持ちます。実際、「机」のような人間的意味を持たずとも物質は存在できますが、反対に物質が存在できなければ、明らかに「机」は存在できないように思われます。そうすると、存在の順序で先だつ物質こそが本当の意味で実在するものだと言いたくなります。現代ドイツの気鋭の哲学者マルクス・ガブリエル（１９８０‐）はこうした立場を「自然主義（ナチュラリズム)」と呼びますが、自然主義もいろいろなので、「還元主義(リダクショニズム)」という狭い表現のほうが無難でしょう。それでは、「ある」と言えるもの、すなわち実在は、本当に自然科学の意味での自然だけでしょうか?

図表4　アヒルウサギのだまし絵

アヒルウサギを見るとき

これを考えるために、実在が物質として、あるいは机や童話の熊さんや三角形やその他さまざまなものとして、あること自体に注目しましょう。「あるものがしかじかのものとしてある」とは、そもそもどういうことでしょうか?

単純な事例として、ウィトゲンシュタインが『哲学探究』で取りあげたアヒルウサギの図(図表4)を考えましょう。この図は、二本の出っぱりがくちばしなら「アヒル」に見えるし、耳なら「ウサギ」に見えます。アヒルが見えるあいだウサギは見えず、ウサギが見えるあいだアヒルは見えません。このように何かがあるものとして現れるしかたを、ウィトゲンシュタインは「アスペクト」と呼びます。そして重要なのは、アスペクトが、同じ図形について「これはウサギだ」や「これはアヒルだ」と主観的にイメージされるだけのものでなく、実在そのもののありかたがそこで現れていることです。言い換えると、図表4を見てアヒルやウサギが見えるとき、私たちはアヒルやウサギの心理的イメージを見るのでなく、アヒルやウサギそのものを見ています。

もちろん、アヒルウサギ自体はトリッキーな画像にすぎません。しかし、これは「あるものがしかじかのものとしてある」、つまり「何かが意味を持って存在する」という根本事態を浮き彫りにしてくれます。実際、自然科学が研究する物質であれ、机であれ、その他なんであれ、それらが「ある」と言われるためには、まずそうしたものとして現れねばなりません。

現れるしかたは視覚だけではなく、「物質」をめぐる科学者の実験、さらには無人の宇宙にただあるだけなど、さまざまです。ただ、いずれにせよどれほど客観的なもの——自然科学で言う「物質」など——であれ、「客観的なものとして」現れていなければ、存在するとは言えません。強く言うと、この点で、物質も童話の熊さんも同じです。なお、同時期のフッサールやハイデガーも、「として（アルス）」という同じ表現でもって、ウィトゲンシュタインと同様の発想を持っていました。

意味の場

それでは、図表4がアヒルやウサギとして現れるとき、何が起こっているでしょうか？

ここで、現れるしかたは二つの位相に分けられるので、それぞれについて考えてみましょう。第一に、認識の順序で先だつ位相として、「アヒルやウサギの現れかた」の無数の束があります。さきほど、出っぱりがくちばしならアヒルとして、耳ならウサギとして現れると言いました。けれど、アヒルやウサギの現れかたは他にも無数にあります。アヒルの口は長く伸びるけれど、ウサギの口はすぼまっています。アヒルのあごはふくよかだけど、ウサギのはやや引っこみます。これ以外にもいくらでもアヒルやウサギの特徴は挙げられます。その際、際限なくたくさんある特徴の一つ一つは明示的に示されず、それらの全体が漠然と「アヒルらしい」や「ウサギらしい」ものとして束ねられています。

第二に、存在の順序で先だつ位相として、ウサギとアヒルが現れるそれぞれの状況があります。さまざまな特徴が「ウサギらしい」「アヒルらしい」ものであるためには、そもそもウサギやアヒルがそのつどの状況で現れていなければなりません。これなしには、諸々の特徴を「〜らしい」と一つのものに関係づけられません。また、この状況を構成するものはウサギやアヒルだけではありません。たとえば、身体を動かして餌をあげたり、生物学者として種を分類したりする私たちがその状況に居あわせています。さらに、この状況は当然ながら、ウサギとアヒルが、そして私たち自身も身を置いている自然的・歴史的な諸事物――地面、動物小屋など――から成りたっています。ウサギやアヒルがそうしたものとして現れるそれぞれの状況がなければ、冗語的ですが、ウサギもアヒルもそれとして現れられません。さきほど言及したガブリエルは、あるものが意味を持って現れるこの現場のことを「意味の場（ジンフェルト）」という巧みな言葉で表現しています。本書ではこの表現を借りさせてもらいましょう。そうすると、ウサギがあるとき、それはウサギの意味の場において現れるし、アヒルがあるとき、それはアヒルの意味の場において現れることになります。

　これと同じことは、何かあるものとして現れるすべてのものに当てはまります。つまり、自然科学の研究対象――多種多様ですが――であれ、童話の熊さんであれ、それぞれの意味の場に置かれています。雑駁（ざっぱく）な言いかたですが、自然科学には自然科学の、童話には童話の、そして数学には数学の意味の場があるわけです。また、個々人の生活の多様さを踏まえるなら、存在者の意味はかぎりなく多様になるので――「我が家のお茶碗」など――、意味の場も際限なくたくさんあることになります。なお、ガブリエルが意味の場と呼ぶものは、フッサールやハイデガーにおいては「領域（レギオン）」と呼ばれます。たとえば、ハイデガーは、数学や生物学の「領域」の構造分析こそが、諸学問の基礎の解明になると主張します。

多元的実在論

さて、この場の概念にそくすると、さきに挙げた「実在は自然科学の意味での自然しかないのか」という疑問に、まずは「そうではない」と答えねばなりません。もちろん物理学が研究する物質は実在するし、生物学が研究する生物も実在します。けれど、それらは「物理学」や「生物学」という意味の場において現れます。もちろん、「物理学」という一語だけで、実際の物理学者たちが関わりあう実在の現場をまとめられるなどとタカを括るべきでないけれど、どれほど複雑でも、物理学的な物質の場が前提されることには変わりありません。

これとまったく同じことは机や童話の熊さんについても言えます。机が現れる意味の場とは、たとえば、机を使用する習慣をふくむ日常生活でしょう。この生活の現場がまったくなかったら、机は机として現れません。また、童話の熊さんが現れる意味の場とは、フィクションという独特の制度——親子の読み聞かせなど——において、童話の言葉が描きだすストーリーの状況でしょう。これなしには、童話の熊さんはやはり現れられません。こうしてみると、意味の場において現れる——ガブリエルの「実在」の定義です——点では自然科学で言う自然も童話の熊さんも変わらず、自然を特別視する理由もなくなります。むしろ、意味の場があるだけ実在の種類もたくさんあるという事情を「実在」についてまずは認めるべきです。こうした立場はおおまかに多元的実在論（プルーラル・リアリズム）と呼ばれており、今世紀ではヒューバート・ドレイファス（1929-2017）やチャールズ・テイラー（1931-）がこれを打ち出しています。[31]

多元的な場のネットワーク

とはいえ、意味の場の多元性を言うだけでは、還元主義者にとってあまり説得力がないかもしれません。なぜなら、異なる場のあいだの関係がまだ明らかでないからです。さきほど、「自然科学で言う物質なしには、机のような文化的事物も存在できない」という直感を挙げました。確かに、物質がなければ、目で見て手で触れられる机が消えさってしまいそうです。

31　ヒューバート・ドレイファス、チャールズ・テイラー（2016）『実在論を立て直す』村田純一監訳　法政大学出版局　第八章そんなことでは「自然科学で言う物質だけでなく、机も実在する」と言って実在の多元性を主張しても、ちょっと虚しいですよね。管見のおよぶかぎり、ガブリエルはこの疑問にはっきり答えていないようです。

そこでまず確認すべきは、さまざまな意味の場がお互いに関係づけられているという事情です。これによると、自然科学の意味の場と机の意味の場は確かに別のものだけれど、両者はお互いに関係づけられてネットワークをつくっています。多元的な場がネットワークを形成することは、実在が現れる際のごく当たりまえのありかたです。たとえば、机がそれとして現れているとしましょう。そのとき、机だけが現れているわけではありません。机の上には幾何学の教科書や熊さんの童話が置いてあります。机の側面には家具屋のロゴがラッカーで描かれています。そうしたとき、幾何学の教科書のうちでは三角形がそれとして現れているし、童話のうちでは熊さんがそれとして現れています。また、家具屋は、ラッカーの化学物質や金具の金属元素を理解しているものとして現れています。当然、ここでは、幾何学の意味の場、童話の意味の場、自然科学の意味の場が前提とされています。そうすると、机の意味の場はそれだけで孤立しているのでなく、常に他の無数の場と重なりあい、関係づけられて、ネットワークを織りなしていると考えるしかありません。また、話を大きくすると、今ちょうど現れている机は室内にあり、部屋は屋内にあり、家は街中にあり、街は国内にあり、国は地球上にあり、地球は太陽系にあり、太陽系は銀河系にあり……と、机の意味の場が諸々の場のネットワークに編みこまれる範囲は際限なく広がっていきます。しかも、このネットワークは、まさに今ここで現れている机において前提とされています。言うなれば、無数の意味の場は、それぞれの多元性を保ったまま、そのつどのネットワークに編みこまれ、同時に、一気にそこにあるわけです。

実在のネットワークの階層性

　このように考えると、還元主義者が「自然科学的な物質こそが実在の基礎だ」と主張するのにすこし共感できます。私たちのほとんどは、自然科学が言う物質が実在しなければ机という文化的事物も実在できないことに賛成するでしょう。そうすると、机の意味の場と自然科学の意味の場のあいだには、「後者なしには前者が成りたたない」という基礎づけの関係があることになります。二つの意味の場がこうしたネットワークを形成しているわけです。

もちろん、机を学校や会社や人類に置きかえても同じです。また、幾何学における三角形は物質ではありませんが、物質的基盤がなければ幾何学の公理体系を理解するものが誰もいなくなるので、結果的に、物質なしには三角形も実在しなくなりそうです。同じことは、童話の熊さんにも言えます。こうしてみると、私たちが常識的に前提としている場のネットワークにおいて、確かに自然科学の意味の場こそが一番の基礎になると考えたくなってきます。

場同士のこうした基礎づけ関係――たいてい自然が基礎とされます――について、19世紀から今日にいたる哲学者がさまざまなしかたで論じてきました。たとえば、大正期の日本哲学に大きな影響を与えた新カント主義の哲学者ハインリヒ・リッカート（1863-1936）は、自然科学と人文社会系――歴史学や社会学など――の諸学問の違いを考察して、人文社会系の学問が取りあげる実在の根本特徴を「価値（ヴェーアト）」だとします。たとえば、人間机という実在は、人間がそれを使用する目的（価値）との関係なしにはありえません。人間にとっての価値がなければ、歴史学が研究する過去の遺品や制度も、社会学が研究する社会の生産物や社会構造も、経済学が研究する貨幣や流通も、すべて消えてなくなってしまいます。これに対して、リッカートによれば、自然科学が研究する自然は、人間にとって使用価値があろうがなかろうが、それ自体で成りたつものです。ここからリッカートは、価値とは無関係な自然的実在に価値がいわば重ねられることによって、人文社会学（文化学）が研究する実在が成立すると言います。自然という基礎のうえに文化が乗っかるわけです。同様の構図は、現象学者のフッサールにもみられます。最近年では、形而上学者の倉田剛さんが的確な事例で解説してくれたように、[32]米国の哲学者ジョン・サール（１９３２-）が、「制度的事実（インスティテューショナル・ファクト）」の概念でもって、自然という「生（なま）の事実（ブルート・ファクト）」とは異なる社会的な実在の成りたちを説明しました。

実在観の変遷

それにしても、どうして自然はこのように実在の根本基盤とされるのでしょうか。実のところ、こうした見方はこの数百年ほどで形成された比較的新しいものです。哲学史家カール・レーヴィット（１８９７-１９７３）の『神と人間と世界』における有名なみとり図を参考に、実在観の変化を簡単に確認しましょう（次頁、図表5）。

レーヴィットによれば、古代ギリシアでは狭義の自然をふくむさまざまな種類の実在は、まとめて「コスモス（世界）」と呼ばれました。これによると、天体であれ、植物であれ、放物線を描く鉄球であれ、机であれ、すべて「コスモス」となります。

32　参照：倉田剛（２０１９）『日常世界を哲学する』光文社

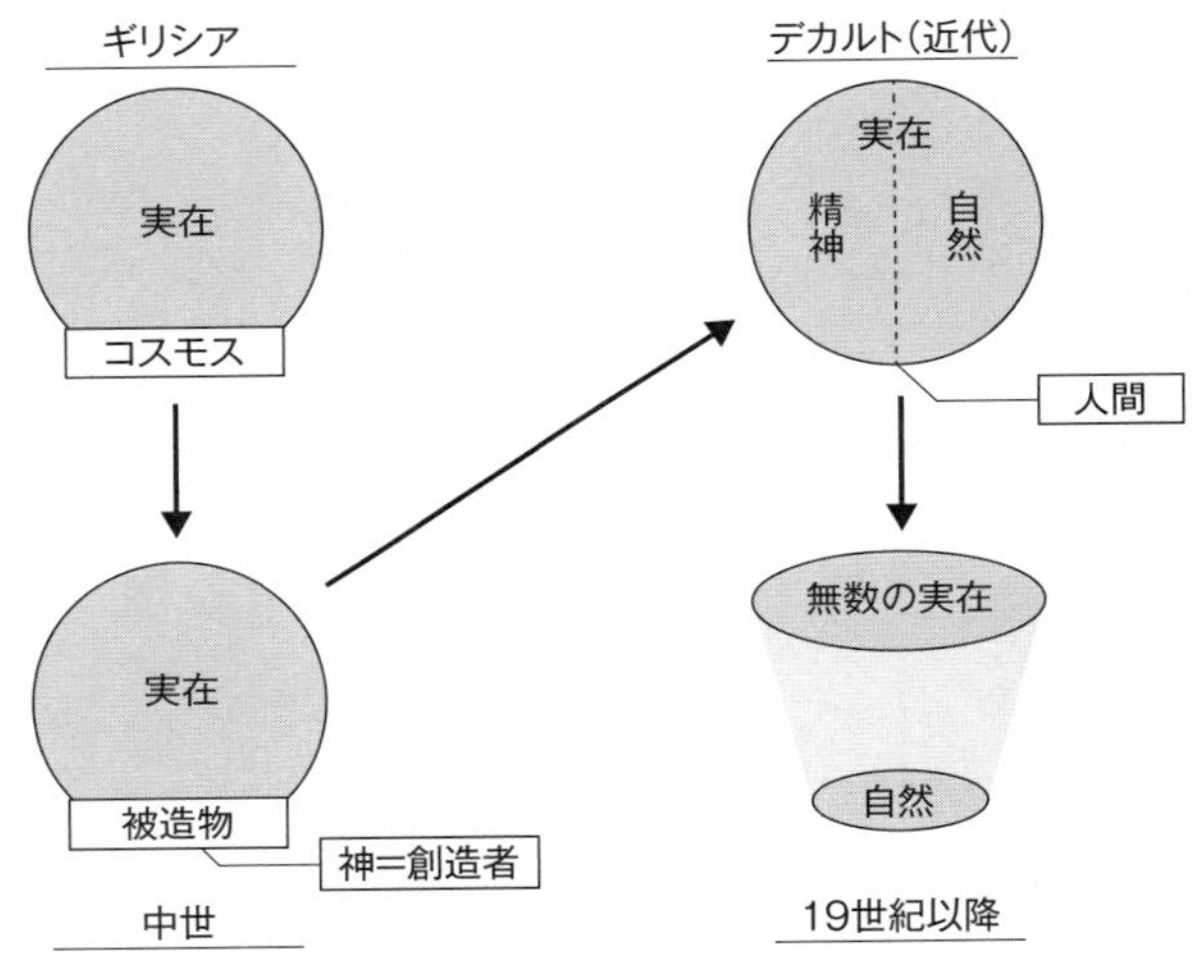

図表5　哲学史における実在観の変遷

そこでも、自然物と人工物が区別されるなど実在のおおまかな大区分はおこなわれました。しかし、前章でアリストテレスの実体概念についてお話ししたように、どんな実在であれ、それぞれ何として存在するかの「本質」を持つ点で変わりません（94頁参照）。この立場をとると、特定の実在――金属など――を特権化して、あらゆる実在の基盤に据えることなどできません。たとえば、アリストテレスにとって机がそれとして実在するのは、それが机という「本質」を持つからです。これに対して、机を形づくる木材や金属はあくまで材料（質料）であって、机との関係から切り離されたらただの有機物や鉄でしかなくなります。もちろん、有機物や鉄にもそれ自体の本質はありますが、そこに「机の存在の基礎」という意味はありません。そうすると、結局、机のように何か「として」実在するすべてのもの（実体）は、別種類の実在に基礎づけられるより先に、はじめにそれ自体でとらえられるべきものとなります。このようなものの総体が漠然と「コスモス」と呼ばれました。

しかし、その後、神の世界創造を説くキリスト教が現れることで、近現代に繋がる大転回が起こったとレーヴィットはみます。前章で確認したとおり、キリスト教と中世哲学は、神が無から世界を創り出したという創造説をとなえました。これにより、神が創造者となる一方で、独立した実在だったコスモスは被造物という従属的地位におとされます。多様な実在は、自分だけでは存在できず、神が設計して実際に存在させることで、はじめて実在となれるからです。

さらに、近代哲学の出発点となるデカルトは、この神の位置（設計者・製作者）に人間を置くことで、実在の全体を新しく精神と自然に二分します。これによると、精神の外なる自然は意味も目的も持たない機械であるのに対して、人間はみずからの精神によって、自然法則の秩序を認識し、自分の目的に向けて自然をつくり変えてゆくべき存在者になります。つまり、自然が「自然法則の担い手」としてのみ実在する一方で、それ以外の実在――机、社会など――は、精神という実在に従属させられ、「主観的」なものとして位置づけられるわけです。ここから、「人間が主観的な価値観を投げ入れることで、それ自体は無意味な自然にも価値が与えられる」といった今日でもよくある考えかた（「投射〈プロジェクション〉」）もみちびかれます。こうした精神と自然への二分割は俗に「デカルト的二元論」と呼ばれます。

自然科学の発展とともに

実在の根本基盤を自然科学的な自然に求める現代の還元主義は、このデカルト的二元論の、ア、ン、バ、ラ、ン、ス、さ――意味の場のネットワークの曖昧さ――の一つの帰結だと考えられます。

まず、デカルトの立場で考えを進めると、自然とはまったく異なる私たちの精神が、明らかに自然の一部である私たちの身体をどのように動かせるのかわからなくなります。実際、まったく物質的なものでない私たちの思考が、私たちの物質的な腕に影響を与えられるとは思えません。この疑問は「心身問題」と呼ばれますが、精神と自然の二分法をとるかぎり、どうしてもここにみちびかれてしまいます。

これに対して、ライプニッツやスピノザなど後年の合理主義の哲学者は、デカルトの二分法とは違って際限なく無数の種類がある実在としての「モナド」や、それとは正反対に唯一の実在とされる「神」の概念によって、デカルト的二元論のアンバランスさをふたたび統一的な実在概念にまとめようと試みました。実在を精神だけとする「唯心論（スピリチュアリズム）」も、自然だけとする「唯物論（マテリアリズム）」も、こうした時代の文脈に位置づけられます。

しかし、さらに時代がくだった19世紀以降、現代に繋がる実証的な自然科学の飛躍的発展とともに、自然科学こそが実在を理解する特権的手段だという漠然とした信念が徐々に広まってゆきました。こうした時代の趨勢（すうせい）のなかで、自然科学の意味の場が、無数の意味の場のネットワークの基盤としての地位を確立していったと考えられます。

こうした歴史を踏まえると、「自然こそが実在の基礎だ」という主張は否定できない気すらします。たとえ極端な還元主義者のように「自然だけが実在だ」と言わないまでも、「自然科学が言う自然なしには、机のような文化的実在も、その他の実在も成りたたない」というよりマイルドな自然の優位はごく当たりまえに前提とされそうです。けれど、それで実在をめぐる話は終わりでしょうか。

揺らぐ場のネットワーク

原点にもどって考えましょう。そもそも他のあらゆる実在の基礎として自然をとらえられるのは、実在の意味の場のネットワークにおいて、自然科学の意味の場が最終的にもっとも基礎的だとみなされたからに他なりません。「みなされる」といっても、単に心のなかだけで思っているのでなく、自然科学が言う自然がまさにそのような基盤的なものとして現れるわけです。

けれど、何かとして現れるとはどういうことでしょうか。さきほどのアヒルウサギの図(図表4、132頁)を思い出してください。この図は、場合によってアヒルにもウサギにも見えます。アヒルに見えるときはアヒルの図がまさしくそこにあるし、ウサギに見えるときはウサギの図がそこにあります。そのつどアヒルウサギは別のものとして現れます。そのつど、別のものです。ここからわかるのは、あるものが何かとして現れることが、そのつど成りたつ事実であることです。そのつどウサギやアヒルとして現れる事実を超えたところには、ウサギもアヒルも存在しません。同じことは、あるものが自然科学的な自然として、しかもその他のあらゆる実在の基盤として現れる場合についても言えます。つまり、それは、現代を生きる私たちにとってそのつどそうしたものとして現れるだけです。あらゆる場合に自然が基礎として現れねばならない理由などありません。

このことは、第2章でみた存在と神の問題に引きつけられます。そこでは、存在を「何であれ、そのつど実際にそのように成りたっている事実」ととらえました。これは、「意味の場のネットワークがそのつど成りたっている事実」と言い換えられます。一面において、私たちは、いつでもこの事実の上に立ち、これを前提するしかありません。そうすると、自然を基礎とする場のネットワークが成りたつかぎり、必然性のない単なる事実としてですが、自然科学が言う物質なしにその他の実在も成りたたなくなります。

しかし、別の面もあります。第2章でみた神概念によると、存在の事実は、そのつど新しく現れる性格によって、一見すると外部なしにすべてをふくみこむ「ある」を限界づける境界線を引かれたものです。これにより、存在の事実は、みずからのうちで、おのれに回収されない外部性（「他」）へと差し向けられるのでした。いつでも到来し、いつでも過ぎさっている外部性に、存在の事実はつらぬかれ、破り開かれています。これにより、存在というあらゆる実在がそれぞれのしかたで成りたっている事実は、常に同一にとどまるのでなく、他でもありうる可能性に開かれたものとなります。このことは、目下の文脈では、自然を基礎とする意味の場のネットワークが、そのように成りたつ現実そのものにおいて、別のありかたに変容する可能性に開かれていることを意味します。現実性そのものの性格であるこうした変容可能性を、20世紀後半のフランスの代表的哲学者であるジル・ドゥルーズ（1925-1995）は、アンリ・ベルクソン（1859-1941）の言葉を借りて、「潜在性（ヴィルテュアリテ）」と呼んでいます。[33] 多元的な実在は、そのつどのネットワークの階層関係に編みこまれますが、このネットワークはいつでも揺らいでいます。

意味の場のネットワークが変容するとは、場のあいだの関係性が変わることです。さきほどの机の例において、机という文化的実在の場は、幾何学や童話や自然科学などの場と関わりあっていました。要するに、机の上に幾何学の教科書や童話の本が置いてあって、机の側面には家具屋のロゴがラッカーで描かれているわけです。こんな当たりまえの日常生活でも、場のネットワークの変容はごく普通に起こります。たとえば机という文化的実在は、幾何学の意味の場に置かれたら「三次元の立体」として現れるし、童話の意味の場に置かれたら「熊さんがなくして、本の外にいってしまった机」として現れそうです。もちろん、自然科学の意味の場に置かれれば、「有機物と化学物質と金属」として現れるでしょう。言うまでもなく、三角形や童話の熊さんや家具屋のロゴを異なる意味の場に置くこともできます。こうしてみると、多元的な意味の場がお互いに実在を現れさせあって、不断に新しい意味を生み出しているとわかります。つまり、場のネットワークは、そこで現れる実在とともに絶えまなく変容してゆきます。

後期ハイデガーは、この変容のダイナミズムを「四方界（ゲフィーアト）」という風変わりな術語で表現しました。一方、次節でみるように、ガブリエルは、すべての意味の場を包摂する「世界」のようなものを否定しました。とはいえ、場のネットワークの変容のダイナミズムは、いかなる場であれそこに編みこまれるものです。そのかぎり、「世界」と呼んでもよくないでしょうか。

3・2　万物をつらぬく変容そのものとしての世界

この「世界」の概念について、これから考えましょう。日常会話でいう「世界」には「日本からみた別の国々」といった意味がありますが、これは以降の主題ではありません。これ

33　ジル・ドゥルーズ（2007）『差異と反復　下』財津理訳　119頁　河出書房新社

からお話しする「世界」とは、ここまでお話しした実在概念の根底で前提とされるもの、つまり、すべての実在がそこにおいてのみ現れる根源的な場のことです。世界の概念について哲学の歴史のなかでさまざまな議論が行われましたが、本書では、実在概念との関係にしぼってお話しします。

世界は存在しないのか

まず、ちょうど触れたマルクス・ガブリエルに立ち寄ります。彼はベストセラーとなった『なぜ世界は存在しないのか』（２０１３）で、「世界」という伝統的な哲学概念をまったくのナンセンスとして取り除くべきだと主張しています。

ここで言う「世界」とは、あらゆる「意味の場」を包みこむもっとも普遍的な「意味の場」のことです。さきほどの例では、机は文化の場において、化学物質は自然科学の場において、そして童話の熊さんはフィクションの場において現れるのでした。これに対して、「世界」とは考えうるかぎりのすべてをふくむものだから、机も化学物質も熊さんもすべてそこで現れるはずであり、それゆえ、個々の意味の場も「世界」の一部となるはずです。ここからガブリエルは、「世界」を「あらゆる意味の場の場」と呼びます。イメージとしては、宇宙のすべてを収めいれてしまう超巨大な袋のようなものを想像してください。

しかし、ガブリエルはそんなものは存在しないと強く訴えました。そもそも、ガブリエルにとって「存在する」とは「ある意味の場において現れる」ことを意味します。たとえば「机が存在する」とは、机が当該の意味の場に現れることになります。それでは、この基準を「世界」に当てはめられるでしょうか。つまり、「世界」がそのなかで現れられるような意味の場があるでしょうか。それは決してありえません。というのも、「あらゆる意味の場の場」である以上、それ自体はいかなる場のうちにも置かれえないからです。そうすると、定義上は「世界」について「存在」を語ることができなくなります。これがガブリエルの議論です。

ガブリエルはこのような実際は存在しない「世界」の疑似概念が西洋哲学の歴史を２００0年以上つらぬいていると言いますが、この点は議論の余地があるでしょう。とはいえ、おおまかにみれば、ガブリエルが否定する世界概念を打ち出す哲学者がいたのも確かです。たとえば、第2章で取りあげたように、カントは経験の系列の全体として「世界」を規定します（１２０頁参照）。もちろん、カントは、そうした「世界」には実体がなく、実際に認識されることが決してないことを強調します。しかし、全体としての世界を語っている点でガブリエルの批判は当てはまります。また、20世紀のフッサールも、意味の場に相当する「地平（ホリツォント）」の概念を導入したうえで、あらゆる地平の地平である「普遍地平」として「世界」をとらえました。

世界＝実在の変容そのもの

ガブリエルの主張はとても重要です。とはいえ、まだ改良の余地はありそうです。

確かに、「あらゆる意味の場の場」としての「世界」が存在しないという主張は説得力があります。けれど、だからといって「意味の場が無数にある」ことだけを確認しても足りません。なぜなら、さきほど確認したように、無数の意味の場はたがいにネットワークを形成していて、しかも、このネットワークはいつでも大なり小なり変容しているからです。このネットワークの変容のダイナミズムは、いかなる場もそのつど、そのただなかに置かれるものです。そうすると、変容そのものを無数の個々の場がそこにおいて成りたつもの、つまり「世界」としてとらえられるのではないでしょうか。

この方向で考える場合、第一に注意すべきは、場のネットワークの変容は、個々の場を包摂する巨大な「場」ではないことです。ネットワークはあくまで個々の場によって織りなされるだけであり、場と別のものではありません。それゆえ、ネットワークの変容においてすべての実在が現れるといっても、ネットワークとそれぞれ個別の場は内容的に変わりません。つまり、机と《机の場》――机を使用する人間や環境など――が区別されるようには、個別の場と《個別の場がそこで現れる場》は区別されません。

しかし、このことでもって、「世界」の観念がまったく不要になるわけではありません。場のネットワークが変容する姿を思い浮かべてみましょう。机は文化的実在の場に置かれるだけでなく、フィクションや幾何学や自然科学の場にも置かれることができます。もちろん、童話の熊さんや金属元素が文化的実在や幾何学の場に置かれることもできます。こうして、複数の場がたがいに万華鏡のように照らしあって、場のネットワークは不断に変容し、そのつど新しい意味を生み出します。そして、この意味の生成運動は個々の場に対して興味ぶかい関係にあります。くどいようですが、生成運動（変容のダイナミズム）は個別の場から独立して存在するわけではありません。そうだったら、ガブリエルの批判が当てはまってしまいますね。けれど、新しい意味を生みだすネットワークの、常に「他でもありうる」変容可能性（潜在性）には、個別の場だけでは説明できない新しさ、、、があります。これは意味の場がネットワークをつくることで生じる新しさです。個別の場とは別のものとして名指せないにもかかわらず、あらゆる場とあらゆる実在はこの新しさにつらぬかれています。こうしてみると、ガブリエルの批判を乗り越えるしかたで、「世界」の概念をあらためて考えられるはずです。

後期ハイデガーは、さきほど言及した「四方界〈ゲフィーァト〉」という奇妙な術語でもって、こうした世界概念を打ち出します。『物』（1950）という講演では、ビールなどを飲むジョッキという日常生活の事物にそくして、実在と「世界」の関係が考察されます。はじめにハイデガーは、ジョッキがそれとして現れるための前提として、ジョッキが使用される状況そのもの（「注ぐ動作の集約〈ゲシェンク〉」）を挙げます。これは、ガブリエルが言う「意味の場」にあたります。さらに、ジョッキやビールだけでなく、ジョッキの素材の陶土がとられた山や、ビールの原料の水がとられた源泉や雨雲、大麦がとられた畑だって実在です。そこでハイデガーは、ジョッキが他の実在——源泉や雨雲など——に関係づけられる姿を描きつつ、無数の実在の繋がりにおいて前提される「世界」（「四方界」）の概念を提示しました。なお、西田幾多郎の後期哲学においても、「弁証法的一般者」という語でもって、無数の実在がたがいに関わりあって新しい秩序をつくるダイナミズムを「世界」としてとらえる立場が打ち出されます。

ネットワークの形成と解体

それでは、「実在の変容」としてとらえると、世界概念はどのように性格づけられるでしょうか。変容である以上、あらかじめ決まっている秩序や形式のようなものはありません。ですが、変容という「他のありかたへと変わること」そのものの成りたちは考えられます。ここから世界の性格がみちびかれます。

意味の場のネットワークが変容するとき、机が幾何学の場において現れたり、金属元素が文化的実在の場に現れたりします。ここから二つのことがわかります。第一に、実在が変容するとき、実在はそれまでとは別の新しい場において現れます。つまり、それまで関係なかった別の意味の場に新しく関わりあわされるわけです。第二に、同じことの反対面として、変容において、実在はそれまで現れていた場から逸脱します。たとえば、机が幾何学の場に新しく関係づけられるとき、机は文化的実在の場から外れてしまいます。当たりまえですが、机の形をした立体図形は机という道具ではないですよね。すると、実在の変容としての世界について、場のネットワークの「形成」と「解体」という二つのありかたを言えます。

こうしてネットワークが新しく形成されたり、解体されたりすることは、世界に独特の性格を与えます。

最初に形成の面から考えましょう。まず、新たな意味の場に関係づけられることは、個々の実在にとって、ネットワーク全体の変容にさしかけられることです。たとえば、机が文化的実在の場でなく、幾何学やその他の場において新しく現れることで、意味の場のネットワークは更新されます。これにより、ネットワーク全体がそれまでとは別のものになります。この変容は、まだ起こっていないけれどいつか起こるようなものでなく、今ここの現実である実在そのものに潜在します。机として机を使用しているときでも、別のしかたで現れる可能性が机そのもののうちにあります。

さらに、ネットワーク全体の変容にさしかけられるとは、具体的には、新しい意味の場につぎつぎに関係づけられて、ネットワークが重ね書きされていくことです。たとえば、幾何学の場に移された机は、次に童話の場に移されうるし、さらに経済学の場に移されるかもしれません。一回童話の場に現れたら、その意味は抹消されず、新しい場で「童話の場にあったが、今は経済学の場にある机」という重ね書きされた意味を持つようになります。いわば、後戻りできないしかたで、実在の意味が重層化されてゆくわけです。このダイナミズムを特徴づけるのは、取りかえしのつかなさです。個々の実在は、世界のただなかにあって、一瞬たりとも同一にとどまらず、否応なく別のものとなりゆきます。そのような無常な変遷が、無数の実在をつらぬく世界の性格です。

次は解体の面です。それまで置かれていた意味の場から逸脱するとは、個々の実在をなんらかのものとして意味づける文脈がなくなることです。これにより、もともと実在に属していた性質も、何か他のものとの関係によって意味づけられなくなります。たとえば、机が木製の天板と黒光りする鉄脚を持っているとしましょう。机を机として使っているなら、天板の手触りや香り、鉄脚の光沢は、道具の快適さや美しさとして十分に意味を持ちます。しかし、机が幾何学の場に移され、机の形をした幾何学的な立体として現れるときには、手触りも香りも光沢もまったく関係なくなります。これらの性質は幾何学の場から締めだされてしまいます。そして、この変容もやはり、今ここで机として現れている物そのものにひそむ可能性です。

それでは、この逸脱した諸性質にはどんな特徴があるでしょうか。自分とは別のもの——意味の場——との関係による意味づけから逃れさるとは、裏をかえせば、その物に固有のありかただけを示すことです。たとえば、天板の香りや鉄脚の黒光りは、文化的実在としての机に属するものですらなくなって、ただそれだけで存在感をはなちます。つまり、物には、そのつどの場によって意味が変わるだけでなく、その物にしかない質的な重みもあるわけです。この重みを現れさせる逸脱のダイナミズムが示すのは、意味の場の重ね書きからこぼれ落ちる、変わらなさです。場のネットワークの解体にさしかけられて、個々の実在は、みずからのうちへ回帰して、いつまでも同質にとどまります。こうした恒常的な循環も、あらゆる実在をつらぬく世界の性格です。

　取りかえしのつかない無常な変遷と、あいかわらずの恒常的な循環。この相反する性格こそが、机であれなんであれ無数の実在がそのただなかで現れる、世界のありかたです。もともと変容というただ一つの出来事から分析されたものですから、両者はいわばコインの裏表のように両面一体です。世界のこうした相反する性格の一体性を、ハイデガーは前述の「四方界」概念の構成要素である「天空」と「大地」というやはり風変わりな対概念で言いあらわしています。もっと有名なバージョンにも言及すると、20世紀を代表する芸術論の一つである『芸術作品の根源』（1935／1936）では、変遷と循環の緊張関係が「世界と大地の闘争」と表現されます。

３・３　なぜ時間と空間に広がりがあるのか

ここまで実在と世界の概念をみました。ここで目先を変えて、時間と空間という主題について考えていきます。時間と空間は日常生活のごく当たりまえの前提です。たとえば「長年使って、机が古くなる」や「部屋掃除のために机を動かす」といった日常の出来事は、時間の移りゆきや空間の広がりなしには考えられなさそうです。そうすると、実在と世界の概念を本当に明らかにするためには、時間と空間についても検討しなければなりません。そこで以降では、実在と世界の概念との関係を中心にして、時間と空間をめぐる哲学の基本論点をお話しします。なお、本節ではカントの時間・空間の概念を取りあげませんが、古典的な議論なので、ぜひ第２章で紹介した概略を参照してください。

日常における二種類の時空の変化

まず、素朴な日常生活で、時間と空間はどのように受けとめられるでしょうか。机のある部屋から飛びでて、気持ちのいい秋晴れの日にランニングに出たところを想像してください。

家から出発して、小さな路地をとおりすぎ、行き交う人びととすれ違って、近所の川のほとりに向かってゆく。そんな風に、まわりの風景がうつろいゆきます。今ここで風景が現れていて、これから新しい風景がやってきて、またすでに現れた風景が過ぎさっていきます。こうして、移り変わる風景のなかで、「今ここにある」「これから来るあそこ」「過ぎさったあそこ」という時間と空間の要素が区別されます。この時空は、ランニング中の風景の全体に当てはまります。つまり、木の葉であれ川であれ実在のすべてがそこで現れる全体状況について、それが成りたつのが「今ここ」か、「これから来る」か、「過ぎさった」かが区別されます。

しかし、時間と空間が理解されるしかたはこれだけではありません。よく考えると、風景がうつろうだけでなく、風景のなかで現れる個々の事物だって変化しています。太陽の光にかがやく木の葉は、秋の始まりにはまだ緑色でしたが、だんだんと木の頂点から赤黄色に色づいて、すべての葉が燃え上がるように変わった後、枯れ葉となって地面に落ちてゆきます。その際、木の葉の色は緑から真紅に変わり、また、木の葉の位置も枝の上から地面へと移動しています。これらの変化も、時間的な前後関係や、空間的な位置の移動をあらわしています。とはいえ、これは前段落で挙げた時間・空間とは意味が異なります。紅葉という状態変化や落葉という位置変化にそくして語られる時間の前後関係や空間の位置関係は、当然ながら、木の葉という実在が具体的に変化していなければ理解できません。

こうして、時間と空間には二つの意味があります。第一は、存在について語られる時間・空間です。これは、個々の実在にかかわらず、無数の実在がそのつど成りたっている事実――風景があること自体――そのものについての、時間の移りゆきと空間の広がりを語るものです。第二は、運動について語られる時間・空間です。これは、個々の実在――木の葉や机など――の状態や位置の変化にそくして受けとめられる時間・空間です。

ニュートンの描いた時空

気をつけるべきは、このような日常的な時空のありかたが、現代人の世界観に強く影響している物理学的な時間・空間の概念とは大きく異なることです。このことは一般人よりも物理学者のほうがよく自覚しています。たとえば、古典力学の出発点であり、リンゴの落下の逸話――真偽は定かでないですが――でも有名なアイザック・ニュートン（１６４３‐１７２７）は代表作『プリンシピア』（１６８７）の冒頭で次のように述べています。[34]

時間、空間、場所および運動などには、万人周知のものとして、その定義を与えることはしない。ただ注意したいことは、普通一般の人々は、これらの諸量を、それらが感覚的対象に対してもっている関係だけからの観念で理解しているということである。そして、それゆえに、ある種の偏見をひき起こすのであるが、それを除去するために、それらを絶対的なものと相対的なもの、真なるものと見かけ上のもの、数学的なものと通常のものとに区別するのが便利であろう。

ここでは普通一般の人々とニュートンをふくむ物理学者における時間と空間が対比されます。普通の人びとは、さきほどみたように、風景の過ぎさりや木の葉の変化という感覚的に経験できる事柄にそくして時間と空間を理解します。しかし、ニュートンにとって、それは「見かけ」にすぎません。むしろ、「真」の時間・空間は「数学的」で「絶対的」なものです。

こうした考えかたは、近代以降の自然科学的な世界観ではなじみぶかいものです。けれど、これはちょっと不思議な話ではないでしょうか。数学とは、自然の観察を必要とせず、純粋に概念――しかも自然界に存在しない「三角形」など――だけで成りたつ学問です。これとは反対に、物理学は観察可能な自然物の法則を記述する学問です。そうすると、ニュートンは、まったく自然的でない数学でこそ、自然の秩序である時間と空間を解明できるというわけです。自然科学、特に物理学のこうした数学化は、近代科学の出発点であるガリレオ・ガリレイ（１５６４‐１６４２）による、宇宙という書物が数学の言語で書かれているという有名な言葉にさかのぼります（『贋金鑑識官』〈１６２３〉）。ガリレオ以前の中世の天文学でも物体の運動の数学的表現はおこなわれていました。しかし、彼らは観察結果を説明する道具として数学を用いただけですが、ガリレオは、数学の理念的秩序を自然そのものの本質としてとらえるプラトニズムを打ち出します。このように自然がとらえられると、自然は数理的な座標によって表現されるものとなります。座標は概念上どこまでも広げられるし、原点は特別な意味のないただのゼロ点だから、ルネサンス期の自然哲学者ジョルダーノ・ブルーノ（１５４８‐１６００）が予見したように、この自然は無限に広がり、どこにも中心がありません。

こうした数学的自然観を踏まえて、ニュートンの古典力学における「絶対時間」と「絶対

34　アイザック・ニュートン（２０１９）『プリンシピア　自然哲学の数学的原理　物体の運動　第Ⅰ編』中野猿人訳・注　30頁　講談社

空間」の概念がみちびかれます。そのポイントは、絶対時間も絶対空間も、観察できる具体的な物体から独立に、ただそれだけで実在することです。これは驚くべき主張です。常識的には、時間の長さや空間の大きさは、太陽の移動や鉄球の落下といった物体の運動について語られるものだから、物体がまったくなければ、そもそも時間や空間を語る意味がないような気がします。しかし、ニュートンによると、感覚（観察）によって理解された時間と空間は相対的なものにすぎません。たとえば、地球の大気圏を感覚された空間だとしましょう。この場合、地球は動いているから、大気圏＝空間の位置も常に変わっています。そして、感覚された空間が位置を変えるために、それはより高次の、それ自体は不動で不変の空間に位置づけられねばなりません。つまり、感覚される時間と空間が感覚状況に相対的であるのに対して、そもそも感覚状況のそのつどの変化を変化として理解できるためには、比較の尺度として、それ自体は変化しない絶対的な時間と空間がなければならない、というわけです。この場合、絶対時間と絶対空間のうちで特定の「場所（プレイス）」を指定すれば、それは全宇宙で共通の時刻と位置になります。

アインシュタインが描いた時空

しかし、20世紀のアルベルト・アインシュタイン（１８７９‐１９５５）が提唱した相対性理論は、まさにこの古典的な時間・空間概念を否定します。

もともと、アインシュタインよりも先に、エルンスト・マッハ（１８３８‐１９１６）によって絶対時間と絶対空間の概念は批判されていました。彼は、観察可能なものにもとづくべき自然科学が観察不可能なものを想定するのは奇妙だと主張します。そして、アインシュタインはそこから、観察可能なものにそくするだけでなく、ガリレオやニュートンとは別のしかたであらためて自然の数学的原理を打ち出します。これは、アインシュタインが最初に発表した特殊相対性理論ではじめに設定される「自然界のどこで物体が運動していても、物理法則はひとしく通用する（相対性原理）」と「自然界のどこから観察しても、光の速度はひとしい（光速度不変の原理）」という二つの原理であらわされます。前者の相対性原理は観察によっては確かめられませんが、自然がそのようなものとしてひとまず前提とされます。そのうえで、後者の光速度不変の原理によって、従来の物理学の観察成果を踏まえて、自然界のどこであれ通用する物理法則が一つ具体的に挙げられます。これだけみると拍子ぬけするほど単純ですが、このたった二つの原理から引きだされる帰結は重大です。そのポイントは、ニュートンが物体が運動するそれぞれの状況（慣性系）を超えた絶対時間を想定したのとは反対に、宇宙に無数に点在する慣性系ごとに時間が変わってしまうことです。たとえば、太陽のまわりを運動する地球からみて二つの出来事が「同時」に生じたとしても、地球のまわりを公転する月からみれば「同時」でないことがありえます。運動状況によるこうした時間のズレは光速に近いきわめて速い運動でしかハッキリとは現れませんが、人工衛星にのせた時計が地上のものからわずかにズレることなどで実際に確認できます。こうしてみると、時間はもはや「あらゆる物体から独立した普遍的な枠組み」のようなものではなくなって、個々の物体の運動に還元される、ある意味では従属的なものとなってしまいます。

その後、アインシュタインが、適用範囲がより広い一般相対性理論を提示し、さらに彼が受けいれられなかった量子力学が確率的な自然観を推し進めていくなど、数学的な自然把握はより高度に展開されていきます。今日では科学哲学者の原田雅樹さん（１９６７－）が述べているように、量子力学で用いられる数学は直感的理解がほとんど不可能なほど形式化されたものなので、数学的に表現された理論がそもそも自然という実在にどう関わっているのかが、まさに問題となっています。[35]

それでは、こうした数学的自然観の一部である物理学的な時間・空間の概念と、さきほどみた日常における時間・空間の理解はどのような関係にあるでしょうか。これについては、どちらかを一方的に優位に置くようなひとまとめの議論はすべきでありません。なぜなら、物理学的概念といっても一口にまとめられないし、数学的言語の本性について私たちはまだまだ探求の途上にあるからです。また、そもそも私たちの日常の生活世界には自然科学がごく当たりまえに存在するのだから、日常的な時間・空間の理解に数学的なものが混ざりこんでいることだってありそうです。とはいえ、以下では、日常的な理解にそくして展開される哲学的な時間・空間の概念を検討します。なぜなら、私たちが数学的に時間と空間を把握するときだって、私たちはランニングの風景で描いたような日常の経験世界にいつでも身を置いているからです。

存在の時空

それではまず、存在について語られる時間と空間をみましょう。さきほどの例だと、これはランニング中の風景の全体について語られる時間の過ぎさりと空間の広がりでした。つま

35　原田雅樹（２００７）「幾何学的存在論と物理的実在性」現代思想 vol.35（16）

り、個々の事物でなく、風景の全体が「今」「ここ」で現れ、また、「これから」「あそこに」現れ、「これまで」「あそこに」現れていた、という風に時間と空間が理解されるわけです。

とはいえ、時間が「これから」「今」「これまで」と過ぎさり、空間が「ここ」と「あそこ」に広がるとは、一体どんなことでしょうか。これを詳しく考えるために、本章の主題である実在概念を手がかりにしましょう。

ここまで実在概念について二つのことを確認しました。第一に、ガブリエルが言うとおり、実在とは「意味の場」において現れるものです。第二に、彼の考えとは異なり、無数の意味の場はお互いに関係しあっていて、このネットワークの変容のダイナミズムこそが、あらゆる実在がそこにさしかけられる「世界」となります。この「世界」が成りたつしかたに注目しましょう。「世界」は風景の全体に対応します。風景の全体は、街路樹やアスファルトに関わる社会や自然科学の背景、流れる川の歴史的背景など、数えきれないほどたくさんの意味の場の網の目として織りなされます。また、真紅に色づいて舞い落ちる木の葉のような個々の実在は、ランニング中の風景の全体にさしかけられています。ここから存在の時空について二つの、一見して正反対の性格がみちびかれます。

一つには、存在の時空には過ぎさりや広がりがありません。つまり、存在は、そのつど純粋に「今」だけであり、未来や過去がまったくありません。また、存在は、そのつど純粋に「ここ」であり、「あそこ」という他の位置がありません。なぜなら、個々の実在は、いつでも世界に、つまり意味の場のネットワークの変容にさしかけられているので、実在が現れるとき、世界はいつでも「今」と「ここ」にあって、実在はその外部に決して出られないからです。木の葉が舞い落ちるそのつど、風景はいつでも「今」「ここ」にあります。古代ギリシアのパルメニデスは、詩の形式で、こうした決して過ぎさらない絶対の「今」として、存在を描きます。[36]

ただ一つの、在る　について語る　道が残されている。この道には、在るは不生で　不滅なもの　という　きわめて夥しい　徴しがある。なぜというに　それは　完全で　不動で　終末のないゆえ。それはかつて存しなかったし、いつかのとき　存することもないであろう。それが今（ニュン）　全体として　ひとまとまりに　連続して在るゆえ。

36　ジョン・バーネット（２０１４）『新装版　初期ギリシア哲学』西川亮訳　２６２頁　以文社（一部改訳）

その後、パルメニデスの弟子のメリッソスは、師の主張を空間にまで拡張して、決して過ぎさらない存在は空間的にも限定されないと考えました。

しかし、これとは逆に、存在の時空には「今」や「ここ」がまったくないとも言えます。なぜなら、第2章でみたように、存在、つまり「世界がそのつど成りたつ事実」は足の裏のようなものだから、それ自体を「これ」と指させず、決して把握できないからです。存在はいつでも足もとで前提されているけれど、把握して「これ」と示されるものではないので、「今」といっても、「ここ」といっても、そこにはまったく中身がなく、文字どおり無になってしまいます。舞い落ちる木の葉にとって、自分が位置づけられる風景を「これ」と示そうとしても、示すこと自体が新しい風景の一部となって逃れさるわけです。20世紀のハイデガーは、パルメニデス的な存在の「今」を西洋哲学の根幹としてとらえたうえで、それと不可分に絡まりあった無を「非現前（アップヴェーゼン）」という言葉で表現しています。同時代の西田幾多郎も、東洋の仏教の背景から「永遠の今」を「無」としてとらえています。

「そのつど」示されるからこそ

こうして、存在の「今」と「ここ」をめぐって相反することが帰結します。とはいえ、この対立は、いつでも足の裏の上に立っていながら、そこに向けて歩けないのと同じで、一つの事柄の二つの面にすぎません。むしろ考えるべきは、この両義性そのものがどのように現れるかです。ここから、「今」と「ここ」にとどまらない、時間の過ぎさりと空間の広がりを理解できます。

まずは空間をみましょう。存在のいつでも前提される性格だけを考えれば、メリッソスが空間の非限定性を述べたように、「ここ」以外の空間的位置はありません。しかし、この純粋な「ここ」は、実際には「ここ」の消失と表裏一体です。たとえば、木の葉がそのただなかで現れる風景の全体は、いつでも「ここ」にあります。しかし同時に、風景の全体は、「ここ」として示されたときには、示すこと自体が新しく風景の一部となるので、示されたた「ここ」からいつでもすでに逃れさってしまっています。すると、メリッソスが言うのと違い、「ここ」はあらゆる空間を際限なく埋め尽くしたりしません。むしろ、世界が成りたつそのつど、ランニング中に風景が現れるそのつど、「ここ」が示されて、そして、そのつど消えさります。「ここ」は、そのつどただ一つですが、そのつど示される複数的なものともなります。

この複数性の帰結を考えましょう。原則的には、「ここ」は世界が成りたつたびにしか示されない唯一の位置です。とはいえ、世界が成りたつたびに示されるなら、そのつど示されるのとは別の「そのつど」において「ここ」を語る可能性もかならず前提されます。別の機会に語られる「ここ」は、当然、そのつどの「ここ」と同じ位置ではありません。すると、「ここ」の複数性には「そのつどの『ここ』ではない」位置、つまり「あそこ」が暗黙のうちにふくまれることになります。『ここ』ではない」位置は際限なくたくさん考えられるので、「ここ」を中心として「あそこ」が果てしなく広がります。こうして、「ここ」と「あそこ」という空間の広がりが成りたちます。

次は時間についてです。空間と同じく、存在の前提性だけをみれば、パルメニデスが語った、過ぎさりのない純粋な「今」しかありません。しかし、この純粋な「今」は、「今」として示される瞬間に「今」から逃れさります。たとえば、木の葉にとって、自分が舞い落ちる風景はいつでも「今」ありますが、「今」として示された瞬間、その風景は、木の葉が舞い落ちる当の風景ではなくなっています。こうして、空間と同じように「今」があらゆる時間を埋め尽くすようなものでなく、世界が成りたつそのつど、ランニング中に風景が現れるそのつど、かけがえのない唯一の「今」が複数的なものとして示される、と言えます。とはいえ、これだけでは説明として不十分です。なぜなら、空間については、「ここ」以外の複数の位置があると言えればいいですが、時間については、複数であるだけでなく、複数の「今」のあいだに「過ぎさる」という不可逆な前後関係を説明しなければならないからです。

ここでは、第2章の「『ある』の内なる『他』」の叙述を思い出してください（80頁参照）。そこで述べたとおり、世界が成りたつという存在の事実は、そのつど、一回ごとに新しく現れます。そして、「現れる」ことには、「ある」の事実に同一化できない「到来」と「過ぎさり」の超過性があるのでした。第2章でみたのは神という根源的な「他」でしたが、ハイデガーやレヴィナスがそうしたように、この超過性は時間の問題を考えるうえでも有益です。というのも、存在そのものに構造的に絡まりあう超過としての「到来」と「過ぎさり」は、まさに「今」を超える不可逆な前後関係を示しているからです。存在の「今」に不可分に絡まりあったこの前後関係によって、存在の時間における「これから」と「これまで」を理解できます。

存在と時空の循環関係

日常生活において、たとえばランニング中に風景の全体がうつろいゆくなかで、私たちはこのように時間と空間を受けとめています。存在の時空とは、いわば風景の全体（世界）がそれにしたがってうつろう根本秩序です。それでは、時間と空間という秩序は、風景そのもの――これについて時空が語られる――とどんな関係にあるでしょうか。それは興味ぶかい循環関係です。

まず、当たりまえですが、世界が成りたつ事実（存在）がなかったら、存在の時空も理解されません。それについて時空が語られるものがなかったら、時空を語ってもしょうがないですよね。けれど他方で、ひとたび時間と空間が理解されてしまえば――私たちは常に理解してしまっています――世界が成りたつ事実は時空の秩序にしたがったものとしてしか受けとめられません。そうすると、時間と空間は、それを理解させる経験においてはじめて取りだされる一方で、おおもとの経験をはじめから支配していた、と言えます。時間と空間が示されるこうした循環の出来事を、ハイデガーや京都学派の田辺元（１８８５‐１９６２）は、「時空間（ツァイト・ラウム）」、あるいは「世界図式」という言葉であらわしています。

運動の時空

次は、運動について語られる時間と空間について考えましょう。ランニングの例を振りかえると、木の葉の色の変化について「これまで緑だったが、今は赤黄で、これから真紅になる」と時間の過ぎさりを語り、木の葉の位置の変化について「樹上から、空中をとおって、地面の上に移動する」と空間の広がりを語る、そのような時間と空間が問題となりました。

これは具体的にどんな時間と空間でしょうか。私たちは、木の葉が舞い落ちる際、時間の経過や空間中の移動があると当たりまえに前提しています。けれど、目に見えるのは木の葉の運動だけで、時間と空間は見えません。このことだけに注目すると、「本当は木の葉の運動しか存在せず、時間も空間もたんなる幻想でしかない」という極端な考えすら出てきそうです。仮にそうでないとしたら、時間と空間は、運動する実在に対してどのような関係にあるでしょうか。両者は同じものでしょうか、それとも別のものでしょうか。

まず、そもそもの「運動」をより詳しく確認しなければなりません。たとえば木の葉の運動とは、《緑→赤黄→真紅》という前後関係のある変化や、《樹上→空中→地面》のような位置変化です。アリストテレスは『自然学』で実在のこうした変化をまとめて「運動（キネーシス）」と呼んでいます。本書でも彼の言葉づかいにしたがいます。

個々の実在――木の葉など――の運動は、それぞれにとっての意味の場に枠づけられます。なぜなら、木の葉の色が変わろうと、位置が変わろうと、それはあくまで同じ木の葉の運動だからです。緑から真紅に変色しても、樹上から地面に落ちても、それによって一枚の木の葉が木の葉でなくなるわけではありません。木の葉が同じ木の葉でなくなってしまったら、それが「緑から真紅に変わった」とか「樹上から地面に落ちた」とか言えなくなります。ここから、実在は、実在がそれぞれのもの「として」――木の葉として――現れる意味の場が指定する範囲において運動するとわかります。これに対して、意味の場が織りなすネットワークは、運動の範囲の限界をさだめて、いわば境界線を引きます。たとえば、木の葉は緑に芽吹くまえは「木の葉」でなく「木の芽」だったし、地面に落ちて朽ち果てたあとは「土」になります。こうして一定の限界を超えて変化したら、その実在はもはや別の意味の場において現れます。つまり、ネットワークをつくる意味の場同士の関係は、「木の葉」のような一つの実在の運動の始まりと終わりを画するものです。

この運動を詳しく眺めると、そこには二種類の秩序があります。第一に、いかなる運動にも変化の前後関係があります。木の葉の色が真紅へと変わってゆくのは、紅く見える色素が蓄積されるからです。これは自然の変化の前後関係です。他には、ランニング中に近所の人が買い物で歩いているのが見えたとしましょう。ご近所さんの運動は《家→途中の道路→スーパーマーケット》と記述されます。これは、自然の変化でなく、「買い物する」という目的に向けた一連の手順の前後関係です。

第二に、どんな運動にも、実在の配置の変化があります。木の葉が樹上から地面へと落ちるなかで、樹木と地面に対する木の葉の位置が変わります。その際、本当は木の葉が動いておらず、樹木と地面だけが空に向かって動いていたとしても、「木の葉が落ちている」ように見えます。そうすると、木の葉の運動は、木の葉だけでなく、「木の葉」「樹木」「地面」の配置の変化としてとらえられます。ご近所さんの運動（歩行）も、「ご近所さん」「家」「スーパーマーケット」の配置変化です。

クロノスとトポス

ここまでくると、運動について語られる時間と空間がどんなものかわかります。まず、運動における前後関係に目を向けましょう。この前後関係は、《緑→赤黄→真紅》のような実在の具体的変化と不可分です。とはいえ、いかなる実在が変化しようと、そこには次の共通の形式があります。

⑴　前後関係には、どこで始まり、どこで終わるかを区切る「スパン」があります。木の葉の色は、緑になる前の若緑や、真紅の後の灰赤色など、実際にはもっと長く変化し

てゆきます。さらに、「緑」だってどのくらいの濃さで緑になるかは曖昧なものです。とはいえ、この変化の連続体から「どこから、どこまで」のスパンを切り出さなければ、何が「前」と「後」かが決まらず、前後関係が成りたちません。

(2) また、スパンの切り出しとともに、スパンの外側に、スパンの始点より前——緑より前の色——と終点より後——真紅より後の色——という、より幅広い継起がつくられます。外的な前後関係はいくらでも広がるので、これはどこまでも伸ばしてゆけます。結局、この継起——色変化の際限ない連なり——から、もとのスパン（緑→真紅）も切り出されています。

(3) 最後に、スパンと継起の前後関係が成りたつために、「今」という時点がかならず前提されます。なぜなら、「前」と「後」を区別するためには、「何に対して前と後か」を決める原点（赤黄）がなければならないからです。この原点としての「今」がなかったら、「前」と「後」という概念はまったく意味を持ちません。

この三点をまとめます。すると、『今』を中心に、継起から一定幅のスパンが切り出される」という形式をそなえることで運動の前後関係が成りたつ、と言えます。『自然学』でアリストテレスは、この運動の基本形式を「時間（クロノス）」の本質とみなして、これを『より先』と『より後』にもとづく運動の数」と定義しました。

次に、運動における配置の変化はどうでしょうか。ここにも、あらゆる運動に共通の形式があります。

(1)　まず、配置の変化が成りたつためには、配置される実在がどこまで広がるかが限定されなければなりません。地面へ舞い落ちる木の葉は、ひょっとすると、月に対して数メートルほど接近しているかもしれません。しかし、木の葉の落下を語るとき、ふつう月は問題にならず、樹木と地面のあいだの広がりに話が限られます。もちろん月の配置を考えてもいいけれど、いずれにせよ、範囲を決めなければ「何が変化しているか」決まらないので、配置変化も成りたちません。

(2)　次に、無数の実在からこうして一定の広がりが切り出される際、その範囲で動く実在の位置として、「ここ」がかならず前提されます。舞い落ちる木の葉が「ここ」という特定の位置になかったら、樹木と地面のあいだの広がりを区切れません。逆に言うと、そのつど変わる木の葉の位置があるからこそ、この位置移動を収めいれる広がり——樹木と地面のあいだ——を考える必要があるわけです。

この二点をまとめると、運動における配置変化は「『ここ』を中心として、『ここ』が移動する『広がり』が区切られる」という形式をそなえる、となります。アリストテレスは、やはり『自然学』で、この「広がり」と「ここ」をあわせて「場所（トポス）」と呼びました。

実在の運動のこうした形式が、運動について語られる時間と空間です。その根幹に「今」と「ここ」があることは存在の時空と変わりません。しかし、両者は本質的に異なります。存在の時空における「今」と「ここ」は、世界が成りたつたびしか語れない、それぞれ唯一のものです。これに対して、運動の時空はあくまで実在の運動について語られるものだから、実在が無数にたくさんあるように、運動の「今」と「ここ」も無数にあります。

3・4　未知と遭遇する人間に、世界の謎が開かれる

本章では、「実在」の基本問題として、実在の多元性と自然の地位、世界、時間と空間について概観しました。冒頭で定義したように、実在とは「あるもの」、つまり、それについて「ある」が語られるものです。そして、あらゆる実在がさしかけられる場が「世界」であり、実在が現れる形式が時間と空間です。

レヴィ＝ストロースの諦念

それでは、本書のテーマの「人間」は、この実在のうちにどう位置づけられるでしょうか。ここにはいささかの困惑があります。実在とは「あるもの」です。そして、実在がウサギやアヒルなど「～として」現れる際、それは意味の場において現れます。これに対して、実在に居あわせる人間は意味の場の一部分——ウサギに餌をやるもの、アヒルを観察するもの——でしかありません。ですから、人間がいるかいないか、問うか問わないかによって、ウサギとアヒルの実在性が左右されたりしません。人間は、いつでも意味の場に身を置いてい

て、そこからしか考えられません。すると、人間はたまたま実在のただなかに投げこまれただけで、実在の問題にとって人間の存在はどうでもよくならないでしょうか。人間に無関心にそこにあるだけ。人間はそのうつろいに巻きこまれて生きるだけ。実在のこうした非人間的な性格を、構造主義の泰斗である人類学者レヴィ＝ストロース（1908-2009）が、世界中で読まれた『悲しき熱帯』（1955）でたくみに描きだしました。旅嫌いでありながら、彼は南米でフィールドワークをおこなって、西洋にもどこにも中心のない、人類の生活形式の多元性に触れました。そのうえで、かぎりある人間への静かな諦念がこのように吐露されます。[37]

世界は人間なしに始まったし、人間なしに終わるだろう。［…］人間の精神が創り出したものについて言えば、それらの意味は、人間精神との関わりにおいてしか存在せず、したがって人間の精神が姿を消すと同時に無秩序のうちに溶け込んでしまうだろう。

人間は、制度や風俗や慣習を創造し、一定の文化的役割――「父親」など――をみずからに与えます。この新しい「意味の場」は文化によって異なる多元的なものです。しかし、これはあくまで人間が関わる場にすぎません。人間が一人残らず消えても、それらの意味の場がなくなるだけで、世界はそのまま存続します。レヴィ＝ストロースは、人類学のフィールドワークをとおして、みずからの意味の場だった「西洋」を相対化し、さらに進んで、人間一般の意味の場がとぎれる場面まで見とおしたわけです。

実在に人間は必要か

とはいえ、疑問もあります。未知の人類社会にめぐりあって驚き、人間に関心を持たない世界のただなかで人間の終焉を予感するレヴィ＝ストロースのような人がいなかったら、かくも非人間的な実在とて「おのれを示」せるでしょうか。人間がいてもいなくてもこの世界はありますが、自分がよって立つ意味の場の境界につきあたる人間がいなければ、人間から隔てられた実在も現れられないはずです。

第1章の「事象」と「問い」の関係にそくして、人間が立つ意味の場の境界がどのように「おのれを示す」かを考えましょう。ある意味の場に立つとき、人間は他の場をなにがしか

37　レヴィ＝ストロース（2001）『悲しき熱帯Ⅱ』川田順造訳　425‐426頁　中央公論新社

排除します。人間が実在を受けとめて理解する視点は、そのつど特定の場にあり、それ以外の場にはありません。たとえば、アヒルウサギの図（図表4、132頁）がアヒルに見えるとき、ウサギは見えません。それにもかかわらず、アヒルを見ているこの瞬間、それがウサギに見えうることが理解されています。また、レヴィ＝ストロースがおこなったような異郷のフィールドワークの経験がなくても、自分とはまったく異なる生活形式がありうることは、当たりまえに理解できます。これは不思議なことです。なぜなら、自分が立つ意味の場においてしか実在を理解できない人間にとって、それ以外の場など想像すらできないように思われるからです。しかし、人間は、自分が存在しない世界をもふくめ、意味の場の多元性を実際に理解しています。

それでは、どうして人間は意味の場の多元性、つまり実在の多元性を理解できるのでしょうか。それは、異なる視点から私たちと言葉を交わし、私たちの意味の場を相対化してくれる他者がいるからです。アヒルしか見えていない人にウサギが見える視点を伝えてくれる他者がまったくいなければ、「アヒルが別のものに見える」可能性は示されません。自分とは異なる場に立つものとの出会いにおいてこそ、実在の多元性はおのれを示します。そして、この出会いは、場の不確かさを見えるようにするものとして、常にすでに「問い」の対話に関係づけられています。そうすると、実在の問題にとって人間の存在は決してどうでもいいものではありません。むしろ、実在は、実在として現れるために、問いを交わしあう人間を必要としています。

第４章

「私」とは誰か

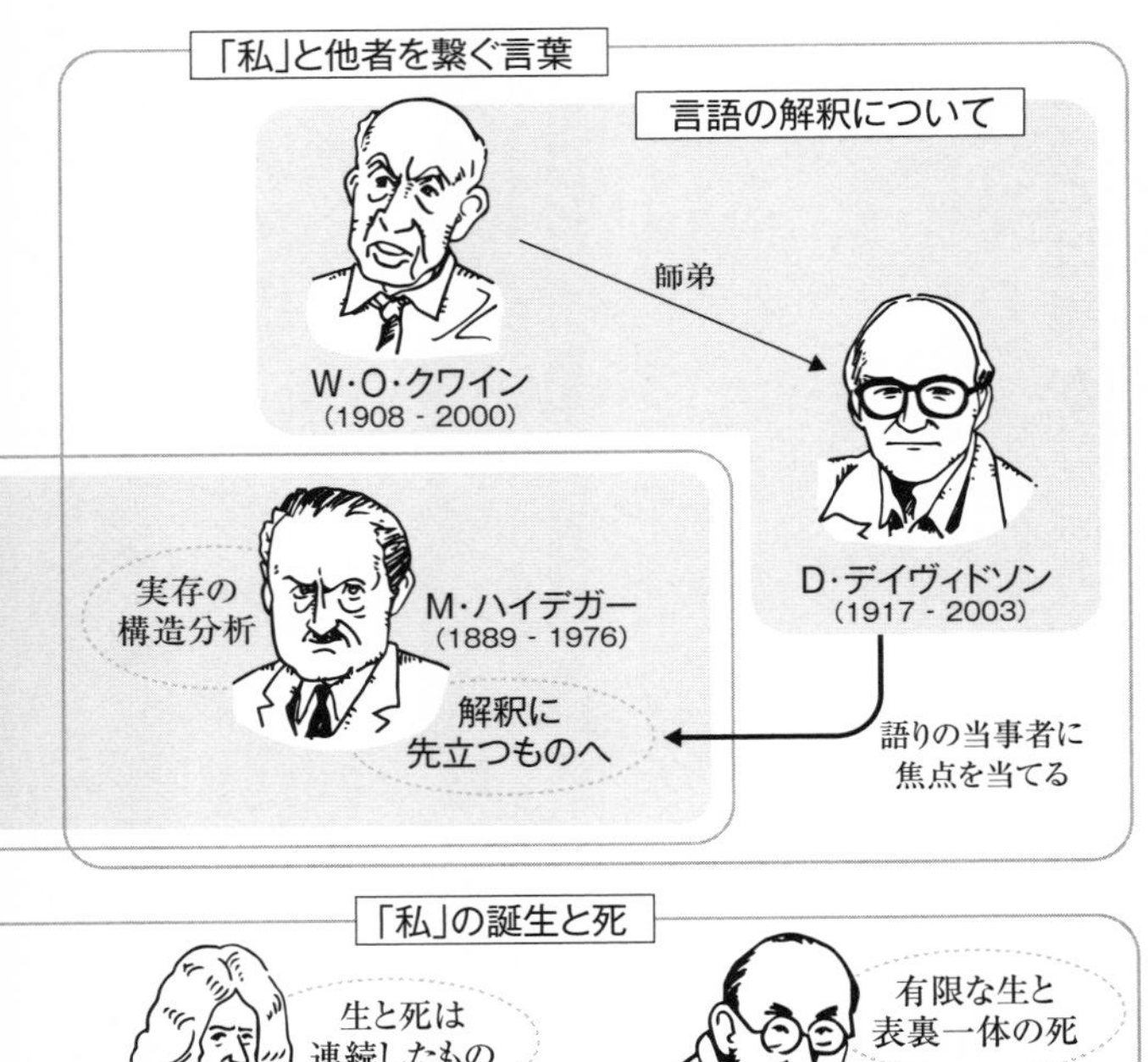
「私」と他者を繋ぐ言葉
言語の解釈について
師弟
W・O・クワイン
(1908 - 2000)
D・デイヴィドソン
(1917 - 2003)
実存の
構造分析
M・ハイデガー
(1889 - 1976)
解釈に
先立つものへ
語りの当事者に
焦点を当てる

「私」の誕生と死
生と死は
連続したもの
G・W・ライプニッツ
(1646 - 1716)
有限な生と
表裏一体の死
西田幾多郎
(1870 - 1945)
生きる意志の
否定
ショーペンハウアー
(1788 - 1860)
不死の
要請
I・カント
(1724 - 1804)
人間の
根源的条件
としての誕生
H・アーレント
(1906 - 1975)

「私」をめぐる語りあい（第4章の主な登場人物）

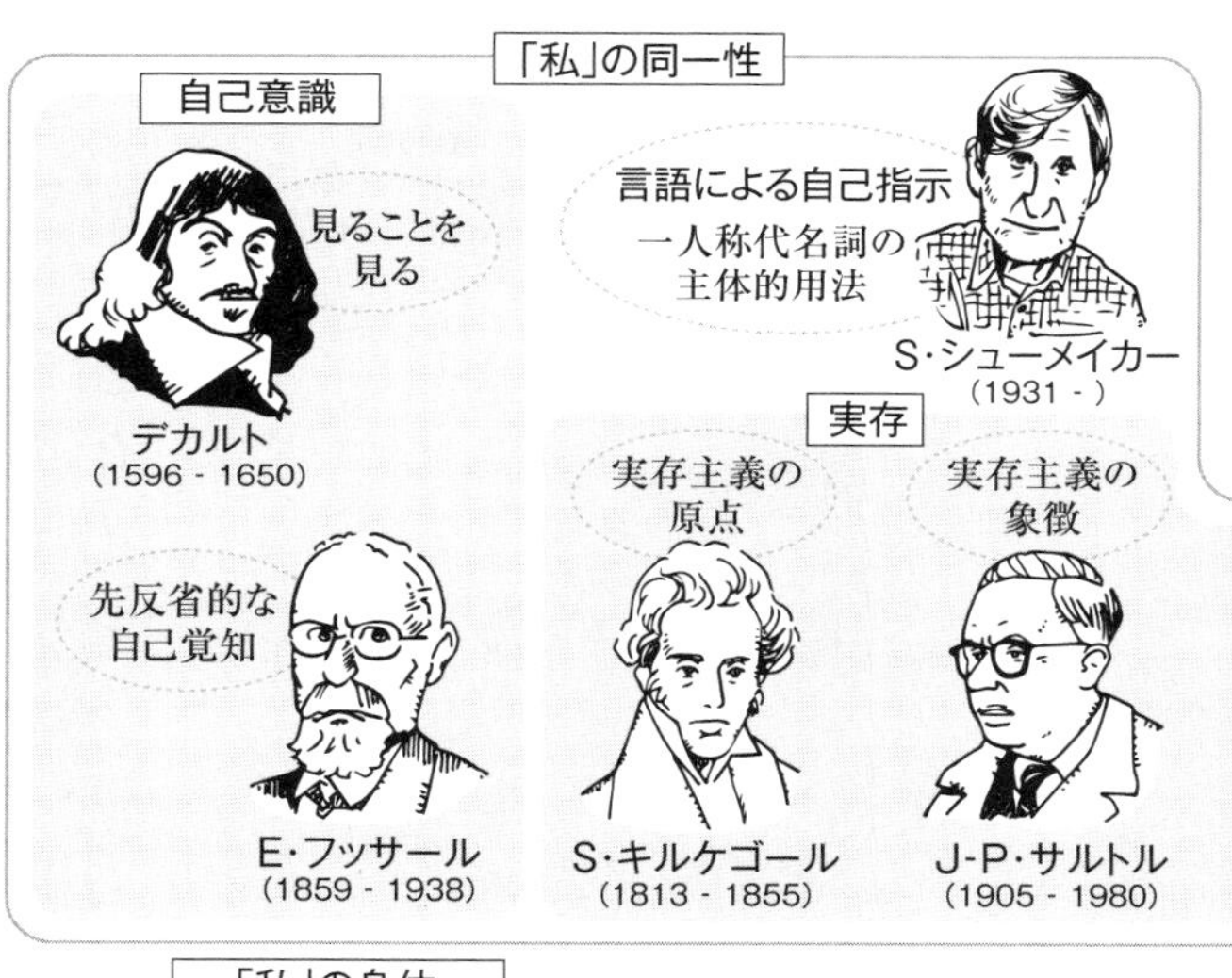

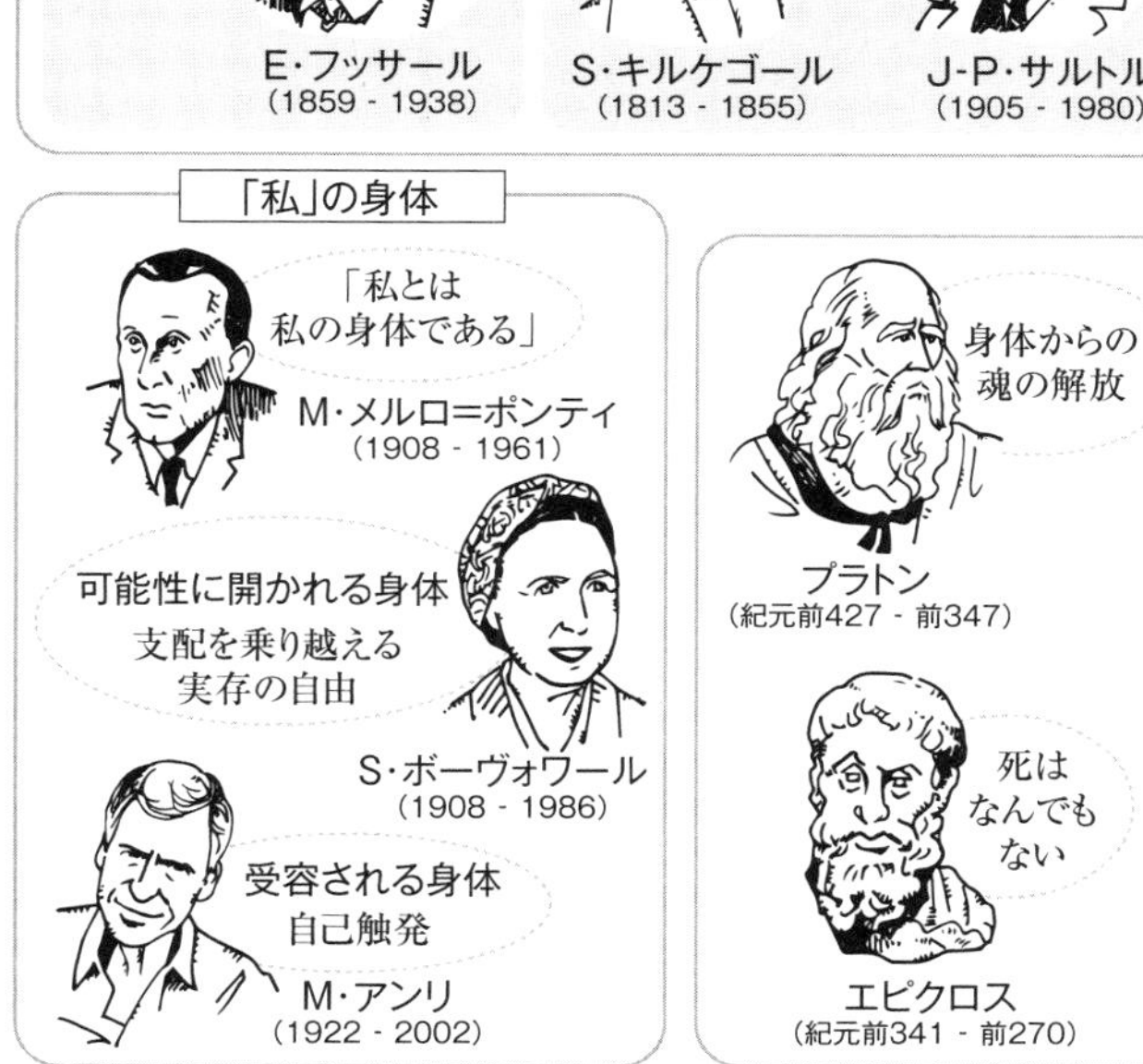

4・1 「私」を「私」たらしめるもの

ここまで実在についてお話ししました。最後の章となるここからは、実在のただなかで生きる私たち自身について考えましょう。「私」が他の誰でもなく「私」であること、これは一体どのようなことでしょうか。この問いは、哲学の伝統で「魂」や「主体」、「自我」と「自己」、「実存」と呼ばれてきた事柄に関わります。こうして並べるといかめしいですが、問題となるのはあくまで、この本を読んでいる皆さん自身です。

「私が私である」

「私」という事柄で哲学的に問題になるもの、それは「私が私である」という特異な同じさです。これは「机が机である」とか「バイデンさんがバイデンさんである」といった同じさとは異なります。机は、自分が机という実在であることをまったく理解していません。机はなんの自覚もなくただそこにあるだけでしょう。また、バイデンさん――私たちにとっての他人――は自分が実在することを理解していそうですが、他人である私たちは、バイデンさんがみずからの実在について持つ自覚を共有できません。私たちは外側からバイデンさんを眺めているだけです。これに対して、「私が私である」の同じさにおいて、「私」はまさに自分が実在することを自覚しています。「私」が一つの実在として成りたつとき、「私」にとってその事実が現れています。つまり、「私」が実在するとき、机やバイデンさんと違って、当の「私」自身がみずからの実在を受けとめて、経験しています。かりに「私」にとってみずからの実在がまったく現れず、受けとめられていなかったら、「私」はそもそも「私」として存在せず、机のようにただそこにあるだけのものになるでしょう。存在と現れのこうした同一性が、「私」という事柄についてまず考えるべきことです。

こうした「私」を考察する態度として二つのものを区別できます。一つは、「私」のさまざまなありかたを他人事のように観察するものです。もう一つは、考察者が他ならぬ自分のこと、すなわち当事者として「私」について自覚を深めるものです。両者の違いを実感するために、休日の散歩を想像しましょう。

ドアから出ると、雨上がりの太陽が冬の街を照らしています。小さな路地の階段をのぼり、近所のコーヒーショップにたちよって、そのまま近くの川ぞいを歩いていきます。たまにランニングや犬の散歩をしているご近所さんとすれ違い、名前を呼びあいます。歩いていると、木々の葉っぱがすべて落ちて、秋が終わり、真冬になったことを実感します。そのまま、どんどん歩いていき、昼食は何をつくろうかとぼんやり思いをめぐらせたりします。

さて、他人事として、第三者の視点からこの情景を眺めるなら、「私が私である」同じさがそこにあると証明するのは困難です。「私」の同じさは、他人にはまったく見えません。見えるのは、イギリス経験主義のデイヴィッド・ヒュームの言葉を借りると、冬の陽光やすれちがう人びと、去来する想念といった経験の「束(バンドル)」だけです。「私」という名の実在は、この情景のうちのどこにも現れません。もちろん、「階段をのぼる」や「川ぞいを歩く」といった一連の動作は同じ人の動作に見えます。しかし、動作主が同じだといっても、それは他人の視点から見た記憶や身体の同一性について語っているにすぎません。しかも、この同一性はいくらでも懐疑できます。

たとえば記憶について言うと、「階段をのぼる」と「川ぞいを歩く」の動作主は、途中のコーヒーショップをふくめた記憶の連続性をたいていは持っています。しかし、階段をのぼった直後に気絶してすべての記憶を失い、目を覚まして川ぞいを歩くとしたら、どうでしょうか。もはや記憶の連続性はありません。動作主にとって気絶する前の自分は、身に覚えのない他人のようなものとなるでしょう。しかし第三者から見れば、気絶する前と後の動作主はかならずしも別人ではないはずです。

それでは身体はどうでしょうか。常識的には、身体が別だったら同じ人とは言えません。しかし、デレク・パーフィット（１９４２‐２０１７）の思考実験にならって、階段をのぼった直後、細胞を完璧に複製したクローンにとってかわられ、クローンが川ぞいを歩くとしましょう。この場合、身体すら同一でなくなりますが、他人から見たら、本物とクローンを区別できないので、二つの動作はやはり同じ人のものです。

こうして他人事として見るかぎり、「私が私である」の同じさは、いくらでもその根拠――記憶と身体――を疑えるものでしかありません。

他方で、当事者の視点からこの情景を生きるとき、事情は正反対になります。そこでの「私」の同じさは、やはり証明できないけれど、そもそも論証に先だっていつでも前提されてしまっている原初の事実です。散歩中に現れるものに皆さんが居あわせるそのつど、皆さんは皆さん自身です。皆さん自身でないものとして、皆さんは居あわせられません。この本をちょうど読んでいるのは皆さん自身であって、他のものではありません。この事実を否定しようとしても、否定するのは他ならぬ皆さん自身です。

このどうしても前提されてしまう性格を、第1章で挙げた現象学の用語で「事実性」と言います。当事者であるとは、「事故現場に居あわせる」や「会議に居あわせる」と日常の日本語で言うように、問題となる状況に巻きこまれたり、積極的に関わりあったりして、その現場に居あわせることです。散歩の情景において、「私」は陽光をあびたり足を進めたりして、身体をもってそこに居あわせます。また、日本語文法を説明できなくても、日本語を実際に話せるように、明示的でなく暗黙的なものに居あわせることもあります。

ここからは、この当事者の視点からの「私」についてお話しします。なぜなら、「私」というテーマは、当事者の視点でのみ実際に問題になるからです。第三者の視点から眺められるのは、実のところ、「私」という単語を当てはめられた他人にすぎません。そこで「私」の存在が疑われるのは当たりまえです。しかし、実際に「私」であるのは、当事者としてこの本を読んでいる、他ならぬ皆さん自身です。『存在と時間』のハイデガーは、この当事者としての「私」を「現存在（ダーザイン）」と呼びました。

言語があらわにする「私」の同じさ：一人称代名詞

まず、「私が私である」の同じさについて詳しく検討しましょう。一口に「私」の同一性といってもさまざまな位相があるので、もっとも重要なものとして、言語、意識、実存の三つの点についてお話しします。

第一に言語として、「私が私である」における「私」の語、つまり一人称代名詞をみていきます。この語を用いるとき、何が起こっているでしょうか。ちょうど本書を執筆している筆者が「私」と言えば、この語は筆者の景山を指し示します。けれど、本書を読んでいる皆さんが「私」と言えば、「私」が指示するのは、一人一人の皆さん自身です。つまり、「私」という語は『私』という語の話し手」を指示します。語のそのつどの発話に照らして指示するものが決まる、こうした自己参照的な語を、言語学では「指標詞（インデキシカル）」と呼びます。

この特異な性格に着目して、「私が私である」の同じさの本質を、一人称代名詞「私」の使いかた、つまり文法としてとらえる試みがあります。たとえば、分析哲学者シドニー・シューメイカー（１９３１-）の古典的な議論に目を向けましょう。そこでポイントとなるのは、「私」の語の主体としての用法、つまり「私はお腹が痛い」というように、話し手が自分の心の状態について語るために「私」をつかう用法です。これは、「私は自宅にいる」のような、話し手の外的状態を記述するために「私」をつかう用法とは異なります。後者の文の場合、話し手が本当は川べの公園にいたら、「自宅にいる」と語る話し手は、文中の「(自宅にいる)私」と同じではないですよね。これとは反対に、前者の文の場合、「お腹が痛い」という話し手と文中の「(お腹が痛い)私」がズレることは、ちょっと想像できません。痛いと感じているのに、「本当は痛いと感じていない」ことなどありえないからです。こうした違いはどこから来るのでしょうか。「私は自宅にいる」の場合、文の話し手と文中の「私」をならべて、両者が一致するかしないかを検討できます。しかし、「私はお腹が痛い」では、なそう話している当人が痛がっているのだから、話し手と「私」ははじめから同一であり、ならべて比較できません。言い換えると、「私」の語の主体としての用法において、語の話し手と語が指し示すものは、取り違えがありえない特異な同じさを持っています。こうして、「私」の語の特異な文法によって、「私が私である」同じさが説明されます。[38]

見ることを見る：自己意識と自己覚知

第二に、「私が私である」というとき、これを「自己意識（セルフ・コンシャスネス）」としてもとらえられます。たとえば、皆さんが冬の陽光を見るとき、皆さんは太陽の光を意識するだけでなく、自分が太陽の光を見ていることもわかっています。自己意識とは、このように、皆さんが周囲のさまざまな実在に関わる際の「意識」がみずから自身を意識することです。近代哲学の出発点であるデカルトは、「見ることを見る（ビデーレ・ビデオール）」という表現でもって、おのれ自身へと関わりあう意識の性格を取りだしています。この立場からみれば、シューメイカーの言語的な「私」論だけでは、「どのようにして『痛いのは自分だ』という自己同一性がわかるのか」という問いに答えていないことになるでしょう。

自己意識のありかたは色々です。ここでは、もっとも重要なものとして、「意識が自分を意識する」という同じさが成りたつ順序を紹介します。

まず、「意識が自分を意識する」というとき、冬の陽光を見ている自分を事後的に振りかえって、「自分は『冬の陽光を見ていた』」と確認するケースがあります。これは哲学の術語で「反省（リフレクション）」と呼ばれます。他にも、皆さんが何かをしていて、誰かから

38　参照：Sydney S. Shoemaker（1968）"Self-Reference and Self-Awareness" *The Journal of Philosophy* vol.65（19）p.555-567

「それをしたのは誰か」と聞かれ、「それは私がしたことだ」と答えるときも、皆さんは自分を反省しています。このように事後的に自分を振りかえる自己意識は、たとえば上述のデカルトの「見ることを見る」という表現にあらわれます。

とはいえ、事後的に自分を振りかえるためには、それ以前に、「冬の陽光を見ていた」のが自分だったとあらかじめわかっていなければなりません。振りかえる手がかりがなければ、振りかえれないからです。つまり、反省するより前に意識がおのれの活動を自覚していなければ、意識は事後的におのれを反省できないわけです。実際、自分をあえて振りかえらなくても、私たちは自分が「冬の陽光を見ている」のを漠然とわかっています。こうした先反省的な自己意識は、しばしば「自己覚知（セルフ・アウェアネス）」と呼ばれます。現代現象学の牽引者の一人であるダン・ザハヴィ（１９６７－）は、後期フッサールの読解をつうじて、気づいたときにはすでに生き抜かれている「私」のこうした同じさを探求しています。[39]

「私が私である」のどうしようもない同じさ：自己と実存

第三に、「私が私である」というとき、「私」が存在することと「私」が自分にとって現れることが同じであるそのつどの事実そのものがあります。「私」が存在するとき、「私」は自分にとってなにがしか現れて、実感を持って受けとめられます。また、「私」が自分にとって現れていたら、それは「私」が存在することに他なりません。現れと存在のこうした同一性がすでに事実として前提とならなければ、「私が私である」ことが構造的に成りたたず、自己意識も代名詞による自己指示もなくなってしまいます。その場合、「私」のようなものはなく、机のようになんの自覚も持たずにただそこにあるだけになるでしょう。こうした意味で、現れと存在の同一性は「私」の存在のもっとも基本的な条件です。

「私」のこうした同じさは、伝統的に「自己（セルフ）」や「実存（エグジステンス）」と呼ばれます。「自己」と「実存」の概念は、デンマークの哲学者ゼーレン・キルケゴール（１８１３-１８５５）を嚆矢として、20世紀では、ハイデガーと並び称されたカール・ヤスパース（１８８３-１９６９）や高名な作家でもあったジャン＝ポール・サルトル（１９０５-１９８０）らの実存思想で詳細に検討されました。目下の文脈で重要な「私」の存在と現れの同一性については、『存在と時間』のハイデガーが独特の術語でこのように言いあらわしています。[40]

39　ダン・ザハヴィ（２００３）『フッサールの現象学』工藤和男・中村拓也訳　晃洋書房

> 現存在は「しかじかに存在することをそのつど理解していた」というように存在する。そうした理解（フェアシュテーエン）だから、現存在は、おのれ自身にとって、［…］なにが問題となるかを《知っている》。この《知る》は、内在的な自己知覚に由来するものでなく、それ自体が理解であるような現（ダー）の存在に属している。

「現存在」を「当事者としての私」と読みかえてください。ここでは、「私」の存在と「私」の存在の理解の関係が説明されます。「私」は、そのつどの状況に居あわせる際、自分にとって何が問題かわかっています。たとえば、冬の陽光に居あわせるとき、「私」にとって散歩で健康維持することや街なみを楽しむことが問題です。これを「私」はどのように自分で理解しているでしょうか。一見すると、そこではザハヴィが強調する先反省的な自己意識——「内在的な自己知覚」——がはたらいているように思えます。しかし、自己意識によるみずからの理解は、「私」の現れ（理解）と「私」の存在が同一でなければ、そもそも成りたちません。自分にとって何が問題か自分でわかるためには、理解する「私」と何かを問題にする「私」が同じであるべきです。このことは、引用文で、「《知る》」が「現の存在に属している」とあらわされます。

良心の呼びかけ

　こうして、「私が私である」同じさの根幹にあるのは実存であることがわかります。20世紀後半を代表する解釈学者のポール・リクールはこれを「自己性（イプセイテ）」と呼んで、第三者視点で理解される「同一性（メムテ）」から区別しました。とはいえ、「私」の存在と現れが同一だといっても、「私」の存在（実存）は具体的にどんな風に現れるでしょうか。「私」は存在するかぎり常に現れますが、これをどのように実感できるでしょうか。哲学の歴史を振りかえると、「良心」の現象がここで重要な役割を果たします。カント研究者の石川文康さんの名著『良心論』（２００１）を参照しながら、良心概念のポイントを整理しましょう。

　良心は、英語とフランス語で「コンシャンス（conscience）」、ドイツ語では「ゲヴィッセン（Gewissen）」です。古語のラテン語では「コンスキエンティア（conscientia）」で、ギリ

40　Martin Heidegger (1927) *Sein und Zeit* p.144　景山訳

シア語では「シュネイデーシス（συνείδησις）」と言います。実を言うと、これらの単語は直訳するとすべて「ともに知る」を意味します。各語の先頭にある「コン（con-）」「ゲ（ge-）」「シュン（συν）」は「ともに」を、そして、語尾の「シャンス（science）」「ヴィッセン（wissen）」「スキエンティア（scientia）」「エイデーシス（είδησις）」は「知る」をあらわします。各言語に共通するのは、誰かに呼びかけられ、そのものと「ともに知る」という発想です。つまり、良心の本質は呼びかけです。[41]

　この「呼びかけ」の意義を考えましょう。日常生活での良心というと、たとえば、明日の食事にも困るほど経済的に苦しみ、社会の不正義に押し潰された人びとに面前して、「このまま放っておいていいのか。何かしてあげるべきでないのか」と感じられることです。この負い目の感覚は「やましい良心（bad conscience）」と呼ばれます。

　ここで「このままでいいのか」という呼びかけに注目してください。この呼びかけは、そのように注意喚起して、負い目ある「私」自身の存在に「私」を引き戻します。つまり、良心の呵責（かしゃく）にさいなまれるとき、「私」は負い目をかかえて存在します。しかし他方、その呼びかけは、この事実を「私」に突きつける以上、負い目ある「私」の存在を「私」自身に対して現れさせます。つまり、ここには存在と現れの二つの面があります。

さらに、この二面の関係をみましょう。そこへと引き戻される存在も、突きつけられて現れるのも、どちらも同じ負い目ある「私」です。こうして、良心の呼びかけは、「私」の存在と現れの同一性をありありと浮かび上がらせます。

誰が良心に語りかけるのか

それでは、良心の声は誰が呼びかけるのでしょうか。誰に呼び止められるかにより、当の「私」の性質も変わるはずです。哲学の歴史を振りかえると、良心の呼びかけの主は、「私」自身か、あるいは広義の他者のどちらかと考えられました。

「私」が呼びかける事例として、早いものでは、古代哲学における魂の配慮の系譜があります。ローマ帝国の哲人皇帝として名高いストア派のマルクス・アウレリウス（１２１－１８０）は、主著の『自省録』で、人間はみずから自身の心の声に耳をかたむけ、その自然本性にふさわしく生きることで、「最期の時がやってきても良心が安らかである」ことができると説きました。[42] 晩年のミシェル・フーコーは、この古代の良心論に着目して、人間を超えた

41　参照：石川文康（２００１）『良心論』名古屋大学出版会

超越的道徳でなく、私たちがおのれ自身に忠実であることをすすめる倫理を構想しています。また20世紀では、『存在と時間』でハイデガーが、良心の呼びかけは「私に由来しつつ、私をこえたところからふりかかる」と述べて、[43]良心の声が「私」のなかで自己完結することを強調しました。

これに対して、他者が呼びかける場合、呼びかけるのが、各人の心のなかに想定される他人か、絶対的な他者である神かに区別されます。他人が呼びかける事例として代表的なのは、古典経済学の祖として有名な道徳哲学者のアダム・スミス（1723－1790）の「公平な観察者（インパーシャル・スペクテーター）」の概念です。『道徳感情論』のスミスは、社会の利害関係の調整において感情が果たす役割を分析するなかで、利害関係に対して中立の「公平な観察者」が各人の心に住んでいて、この観察者こそが普遍的な判断を可能にしてくれると説きました。スミスによれば、これが良心の呼びかけです。

また、神が呼びかける事例は、キリスト教とその影響を受けた哲学に数多く見いだされます。たとえば中世哲学の出発点であるアウグスティヌスは、歴史哲学の著作である『神の国』で人類の歴史を「神の国」と「地の国」の戦いとして描きだして、次のように言います。[44]

神を軽蔑するに至る自己愛が地的な国を造り、他方、自分を軽蔑するに至る神への愛が天的な国を造ったのである。要するに、前者は自分を誇り、後者は主を誇る。なぜなら、前者は人間からの栄光を求めるが、後者にとっては神が良心の証人であり最大の栄光だからである。

「神」が「良心の証人」とされることに注目してください。良心そのものは人間の心のなかで起こります。けれど、良心に照らしてやましいことをしているか否かの判定は、人間でなく神がおこなうとアウグスティヌスは考えます。この場合、良心現象の本質は、「私」を超越する他者である神の呼びかけとなります。なお、この「良心の証人」という発想は、哲学と結びつくより先に、『新約聖書』のパウロがローマの信徒へあてた手紙にも見いだされます。[45]

42　マルクス・アウレーリウス（２００７）『自省録』神谷美恵子訳　１０５頁　岩波書店
43　注釈40と同書　２７５頁　景山訳
44　アウグスティヌス（１９８１）『アウグスティヌス著作集　第13巻』泉治典訳　２７７頁　教文館

良心現象の二重性

いまみてきたように、呼びかけは「私」のなかで現れて、「私」を「私」自身に直面させます。このように良心現象はもっぱら「私」のなかで起こるのだから、これを自分自身の呼びかけとみても不自然ではありません。実際、「このままでいいのか」と良心の呵責を感じるとき、明らかに「私」が自分に問いかける自問の性格があります。

他方、「私」は「これから良心の呵責を感じるぞ！」と狙いすまして、自力で良心を感じたりできません。良心は、自分にはどうしようもなく、ひたすら感じさせられる受け身の出来事です。良心の呼びかけにより、「私」は現れさせられ、「私」の存在に引き戻されます。この「～させられる」という受け身の出来事を、「私」は自分の力で引き起こせません。反対に、良心に呼びかけられる受動性は、「私」の外の「私」ではない他者からやってくるはずです。実際、「このままでいいのか」と良心の声にさいなまれるとき、「私」はまず、苦しんで「私」の助けを必要とする他者に直面しているはずです。そうでなければ、「このままでいいのか」と感じたりしません。

こうした二重性は良心現象の本質であり、良心が明らかにする「私」の存在のありかたに波及します。

一面からみれば、「私」の存在と現れは同じだから、現れればただちに「私」は存在するし、存在すれば「私」はただちに自分にとって現れて、受けとめられます。ここに他者の介在は必要ありません。戦後フランスの重要な現象学者であるミシェル・アンリは、この点を極度に強調して、「私」の自己充足したありかたを「情感性（アフェクティビテ）」と呼びました。

しかし、異なる視点にたつ他者との関わり――呼びかけ――がなければ、「私」の存在と現れは成りたちません。「私」が他でもない「私」として存在できるのは、他者から自分を区別しているからです。区別できる「あなた」と「彼・彼女」がいなければ、すべての人が「私」になってしまいます。それでは、今ここで自分の視点から世界に居あわせるこの「私」になりません。この「私」が自分の視点から世界に居あわせるためには、自分とは異なる他者の視点から自分の視点を区別していなければなりません。こうした点で、「私」の存在の根底には、他者との関わりが不可分に絡まっています。やはり戦後フランスを代表する現象

45　参照：注釈41と同書

学者のエマニュエル・レヴィナスは、実存の根底に到来するこうした他者性を「顔（ヴィサージュ）」と性格づけました。

「私」と他者の言語的な関係

こうして、「私」が「私」であるかぎり、「私」は他者との関わりに巻きこまれ、他者と邂逅していきます。はじめは無関係に存在していた「私」と他者が、ときおり関係するのではありません。存在するときはいつも、「私」は自分とは異なる視点にたつものに関わりあわされています。

それでは、この関係は具体的にいかなるものでしょうか。良心をめぐる叙述から、「私」と他者の関係が、「呼びかけ」という何か言語的な性格を持つことが示唆されました。そこで、経験の当事者である「私」の立場から、言語を用いて他者と関わるありかたを掘りさげます。

ふたたび散歩の情景にもどりましょう。

川ぞいを歩いていると、ご近所さんとすれ違い、「ああ、○○さん」や「こんにちは」

と挨拶を交わします。すると、危なそうな蜂が飛んできて、ご近所さんが「蜂！」と注意してくれます。一難去ると、あらためて「最近、仕事はどうですか」や「会議が多くて、大変です」と近況を報告しあい、「もうすぐ選挙ですね」とか「エコバッグで買い物しています」と世間話をします。

日常の暮らしで私たちが言葉を話すときは、このように互いに呼びかけ、身の回りの状況を報告し、将来に向けてどんな行動をとるかを話しあいます。

近代言語学の祖フェルディナン・ド・ソシュール（１８５７‐１９１３）は、こうしたそのつど実際に話される言語を「パロール」と呼びました。反対に、具体的な発話から離れた、それぞれの言語――日本語や英語など――の音声・語彙・文法の体系は「ラング」と呼ばれます。ソシュールは言語学者としてラングをより重視しました。けれど、日本語や英語を実際に話す人がまったくいなければ、日本語と英語の体系は明らかに存在できません。そうすると、存在の順序では、ラングよりパロールが先だつことになります。本書ではパロールとしての言語に注目します。

まず、上述の「蜂！」の叫びにそくして、パロールの理解のありかたを考えます。散歩中、危なそうな蜂が飛んでいるから、ご近所さんが「蜂！」と注意してくれます。この言葉を耳にするとき、私たちは何を理解して、どう反応するでしょうか。「蜂！」だけを聞いても、スズメバチかミツバチかわかりません。また、当の蜂が見えていない可能性だってあります。それでも、川ぞいの公園で知人が「蜂！」と叫んだら、蜂がいるから危険を警告してくれたとすぐ理解して、身をすくめたり、逃げたりできます。

これに対して、公園や知人という具体的状況がなかったらどうでしょうか。背景の文脈なしに「蜂！」だけ聞こえても、昆虫の名前が強調されていることしかわかりません。それは昆虫学者の喜びの叫びかもしれないし、養蜂場のご主人の愛情あふれる呼びかけかもしれません。でも、結局のところ、文脈がわからないので、具体的に何を意味するか決められません。同じことは、外国語で会話するときに、相手がどんな文脈で喋っているかわからないと、聞きとりが極端に難しくなることについても言えます。

これらのことから、言語の具体的な意味は、それが話される状況全体の文脈において理解されることがまずわかります。こうした事態は、戦後のアメリカ哲学の巨星ドナルド・デイヴィドソン（１９１７‐２００３）によって「全体論（ホーリズム）」と呼ばれました。

言葉の本質

さて、語られる言語（パロール）を詳しくみると、語られる語や文にはそれぞれの指示機能があります。つまり、「蜂」という語そのものは単なる音声や光でしかないけれど、その語は、蜂という実在を指し示す力を持っています。この指示機能こそが言葉の本質です。

それでは、語や文の指示機能は、ちょうど説明した語りの全体状況とどのように関わるでしょうか。その関わるしかたについて二つの側面を確認しましょう。

第一に、語りの当事者、つまり語り手は、語りの状況で実在するものに関わりあっています。たとえば、「蜂！」という叫びで、ご近所さんは知人である皆さんを蜂からまもろうとするし、皆さん自身は蜂から逃げようとします。つまり、言葉が語られるとき、皆さんと皆さんをとりまく実在のあいだには交渉関係が成りたっています。

第二に、叫ばれた「蜂」の語は、「アブラカダブラ」のような中身のない単なる音でなく、「空を飛ぶ虫」とか「刺されると痛い虫」といった意義内容を持っています。つまり、「蜂」という音声・文字記号は、発話状況で問題となる実在（蜂）の特定の側面を浮き彫りにします。こうして「空を飛ぶ」や「刺されると痛い」といった側面を際だたせることで、「蜂！」という叫びを聞いたものは、まず空中を見まわしたり、首や手の露出部分を隠そうとしたりするわけです。

以上の二点をまとめると、語られた言葉が何かを意味する「指示」という事態には、語りの当事者と実在の関係そのものと、語られた言葉によるこの関係の内実の腑分け、という二重の面があることになります。

分析哲学の出発点であるフレーゲは、有名な論文「意義と意味について」（1892）で、この二重性を「意味（ベドイトゥング）」と「意義（ジン）」という用語で区別しました。フレーゲが挙げる有名な例は「宵の明星」と「明けの明星」という語です。

表現こそ違いますが、どちらの語も同じ実在、つまり金星を指し示します。ですから、「宵の明星」と言おうと、「明けの明星」と言おうと、私たちは同じ実在に関わりあっています。この実在が、語の「意味（ベドイトゥング）」です。

でも、だからといって、「宵の明星」と「明けの明星」がまったく同じ表現だと言ったら変ですよね。「宵の明星」は夕方に西の空に見えるし、「明けの明星」は夜明け前に東の空に見えます。そうすると、この二つの語を語るとき、私たちは、二つの異なるしかたで一つの同じ実在に関わることになります。フレーゲは、こうしたさまざまな関わりかたを、言語によって「表示されたものが与えられるしかた」ととらえ、これを「意義（ジン）」と呼びました。[46]初期フッサールの『論理学研究』（１９００／１９０１）にも似たような議論がありま す。

このようにして、語や文が何かを指示（リファー）する際に、語り手たちが言葉を交わしながら、実在と関わりあっています。これが言語の指示機能の前提です。しかし、そうだとすれば、本当に考えるべき問題は、「語り手が言葉を交わす」という出来事がどのように成りたつかです。この点をさらに掘りさげましょう。

根元的解釈とは

語り手が言葉を交わすとは、お互いの言葉を受けとめることです。もちろん、受けとめるスムーズさは場合によって異なります。たとえば、本書の読者の皆さんは、日本語ならほぼ完璧にやりとりできるでしょうが、古代メソポタミアのシュメール語で話されても多分チンプンカンプンでしょう（私もです）。とはいえ、こうした違いは本質的でありません。なぜ

46　ゴットロープ・フレーゲ（１９９９）「意義と意味について」土屋俊訳『フレーゲ著作集４　哲学論集』所収　勁草書房　72‐73頁

なら、たとえ同じ日本語を話していても、それぞれの話者には異なる生活の背景があるので、お互いによく理解できないことが普通にあるからです。そうすると、母語であれ外国語であれ、語り手が言葉を交わすことは、あたかも翻訳のようにお互いの言葉を解釈することととらえられます。それでは、お互いの言葉を解釈することは、どのように成りたつでしょうか。

上述のデイヴィドソンは「根元的解釈（ラディカル・インタープリテーション）」という名高い論点によって、この問題に取りくみました。彼の師匠だったクワインの有名な思考実験で考えましょう。皆さんが言語学者になったと想像してください。皆さんは、はじめての土地に調査にいき、未知の言語を話す人びとに出会います。彼らの会話は一言も理解できません。それでも辛抱強く彼らの生活を眺めていると、ウサギが目の前にいるとき、彼らはいつも「ガヴァガイ！」と発音していました。そこで、言語学者である皆さんは、「ガヴァガイ」がウサギをあらわす単語だとひとまず解釈するわけです。さて、こうした解釈（言語理解）は本当に可能でしょうか。

クワインの答えはやや冷めていて、ただ一つの解釈など確定できないとしました。なぜなら、現地人はウサギ一羽でなくウサギの耳を見てそう叫んだのかもしれないし、そもそも「ガヴァガイ」は物の名前でなく、「ウサギ鍋の具を狩るぞ！」という仲間への呼びかけかもしれないからです。このように他者の言葉をなんとでも解釈できてしまうことは「翻訳の不確定性」と言います。

これに対して、デイヴィドソンは、どれほど解釈が多様でもその根底には共通の前提があることを主張しました。「ガヴァガイ」がウサギ一匹だろうと耳だろうと、名詞だろうと動詞だろうと、皆さんはいつでも自分の手持ちの規則――論理形式など――で相手が話す言語を解釈しています。皆さんは自分がすでに持っている規則でしか思考できないからです。そうすると、デイヴィドソンの考えでは、「ガヴァガイ」という音声を真剣に言語として解釈しようとするかぎり、皆さんはこの未知の言語が皆さん自身の言語の規則――日本語など――に照らして理解可能なものだと前提していなければなりません。他者の言語を自分の言語から理解できるという前提は「好意の原理（プリンシプル・オブ・チャリティ）」と呼ばれます。デイヴィドソンの議論を裏がえして言うと、まったく翻訳できず、まったく理解できない言語があったら、それは私たちにとってそもそも言語でなく、単なる風の音と区別できないことになります。[47]

解釈における分かちあいと先だつもの

デイヴィドソンのこうした主張はもちろん重要です。しかし、言葉を話す当事者の視点で考えると、不自然さも否めません。

第一に、他者の言語を理解するための規則を「自分の言語」のうちに求めるのは不自然な抽象です。なぜなら、他者の言語との対話（根元的解釈）をふくまない純粋な「自分の言語」などないからです。たとえば、生まれたばかりの赤ちゃんは、もっぱら家族に話しかけられるだけで、他者に当てはめて解釈できる自分だけの規則など持ちません。もちろん、赤ちゃんだって能動的に大人の言葉を理解しようとしますが、それはむしろ、保護者という他者の言語を模倣して習得する過程でしょう。同じことは、成長して一定の言語能力を身につけたあとでも言えます。学校や職場などの共同体にあらたに参加する際、私たちは敬語や言葉づかいといった他者の言語に触れて、その言語の規則を身につけます。つまりは、他者の言語が介在しない「自分の言語」などありません。

この点をもう少し掘りさげましょう。実のところ、「ガヴァガイ！」という叫びを聞く言語学者は、叫んだ地元の人びとの生活の完全な外側にたって、人びとの言語を単なる観察対象にしているのではありません。そうではなく、言語学者は、「地元の人が期待するように、は『ガヴァガイ！』に応えて行動できない」というしかたで、よそものとして、地元の人と言葉を交わして実在と関わりあう状況に参与しています。このとき、「ガヴァガイ！」という発話は、地元の人にとっては「あのよそものが適切に応えてくれない発話」という新しい役割を得るだろうし、言語学者にとっては「地元の人の期待に応えていないだろうが、言語学の観察にもう少し付きあってもらうための発話」という新しい役割を得るでしょう。これにより、語りの当事者が言葉を交わしながら実在に関わりあうしかたが、地元の人と言語学者のあいだで新しく形づくられます。極端な言いかたをすれば、このとき「ガヴァガイ！」は、地元の人の言葉であるだけでなく、言語学者自身の言葉にもなっているのです。このことを一般化すると、言語の解釈において、私たちは他者の言語に一方的に自分の規則を当てはめているのではありません。まったく反対に、私たちは、そのつどの状況において他者と言葉を交わしながら実在に関わりあい、協同の成功と失敗を繰り返しつつ、言語の規則をそのつど他者とともに新しく生み出して、分かちあっているのです。『存在と時間』のハイデ

47　ドナルド・デイヴィドソン（１９９１）『真理と解釈』野本和幸・植木哲也・金子洋之・高橋要訳　１３７-１３８頁　勁草書房

ガーは、このことを「分かちあう伝達（ミットタイルング）」と呼んでいます。

第二に、他者が話す音声がまったく理解できずとも、それを風の音と区別できなくなったりしません。「ガヴァガイ！」を理解できるか否かが決まるより先に、私たちはそもそもその音声を「理解しよう」としているはずです。理解しようとすらしなければ、成否どころか、解釈という営為そのものがまったく成りたちません。言い換えると、「ガヴァガイ！」という他者の音声は、実際に解釈されるために、それに先だって「理解しよう」とされる言語として受けとめられていなければなりません。

それではなぜ、この未知の音声を理解しようとできるのでしょうか。それは、この音声が誰かによって、誰かに対して語りかけられているからです。もちろん、「ガヴァガイ！」は言語学者でなく、現地の人や語り手自身に対して語られた言葉かもしれません。でも、いずれにせよ言葉を受けとめるべき誰かに対して、「ガヴァガイ！」は語りかけられています。

こうした相互関係がなければ、ある音声を理解しようとする態度は完全に意味を失ってしまいます。『存在と時間』でハイデガーは、こうした相互性を「聴く（ヘーレン）」という風変わりな術語で表現しました。かくして、「語り手が言葉を交わす」という出来事の根底には、デイヴィドソン流の「解釈」に先だって、言語を通じた相互関係が前提されています。

「私」と「他者」を繋ぐ言葉

この相互関係は、本章でお話しする「私」の成りたちにとって、これ以上ないほど大切です。なぜなら、さきほど論じたとおり「私」の存在は他者との関わりを前提しますが、この他者との関わりは言葉を交わしあうことではじめて成りたつからです。つまり、他者と言葉を交わしあう関係があってはじめて、「私」は他ならぬ「私」自身になれるのです。

このことは、私たちがどのように他者と関わるかを考えればわかります。他者は、「私」とは異なる視点から世界に居あわせていますが、「私」には見えていない蜂をご近所さんは見ているし、「私」とは違った言葉で「ガヴァガイ！」の語り手はこの世界を記述しています。その際、身体を動かして蜂を見たり、未知の言語を研究したりして、「私」は他者の視点をおしはかれます。けれど、「私」は他者の視点そのものにたつことは絶対にできません。というのも、どれほど他者が持つ視覚情報を再現しようと、どれほど他者の言語の規則を身につけようと、それは「私」自身が世界に居あわせるしかた（視点）が変化しただけのことであり、「私」が他者の視点にたつことではないからです。皆さんはいつでも皆さん自身の視点にしか立てません。そのかぎり、他者の視点は、何億光年もかなたの宇宙の果てよりもはるかに遠く、「私」から隔てられています。

では、こうして絶対に隔てられるにもかかわらず、「私」が他者と関わりあえるのはなぜでしょうか。それは、言語があるからです。言葉を交わしあう関係とは、具体的には「私」と他者がお互いに語りかけ、応答することです。その際、言葉を交わしあう相手がお互いの言葉を受けとめる姿そのものは、「これだ」と指さして確認できません。なぜなら、「私」が呼びかける言葉は他者の視点で受けとめられますが、「私」はその視点を目で見たり手で触ったりできないからです。もちろん、他者も「私」の視点にはアクセスできません。とはいえ、「私」は、現に言葉を語っているかぎり、その言葉が他者の視点で受けとめられることをかならず前提しています。また、他者の言葉を受けとめて応答できることも前提しています。

こうして、実際に私たちが生きている言語的な呼応関係において、絶対に隔てられた他者との繋がりがはじめて現れます。さらに、さきほど異なる視点にたつ他者との関係なしには「私」の同一性が成りたたないと言いましたが、これを踏まえると、皆さんがおのおの「私」として生きるとき、皆さんの存在の根底には、気づくのが難しいほど当たりまえの事実として、他者との言語的な語りあいが前提されていることになります。伝統的な良心概念にふくまれる「呼びかけ」の性格は、この事実にもとづけられています。

４・２　「私」の身体の成りたち

ここからは、「私」の存在の別の部分についてお話しします。「私」は他者と語りあっているだけではありません。たとえば、本書を手にとって読んでくださっている今この瞬間、皆さんは、一方で紙の白さやインクの黒さといった光情報を受けとっていて、他方で自分から手や眼球を動かして読書をつづけています。ここで、当事者の立場から状況に居あわせるとき、その居あわせるしかたには受動的な面も能動的な面もあります。「私」――皆さん自身です！――が存在することとは、自分の視点から世界に居あわせることそのものですから、この受動と能動のどちらの面も「私」の存在の成りたちに不可欠です。

「私」の二面性と身体

ふたたび散歩の情景を想像して、この二面を具体的に考えましょう。散歩中のうつろいゆく情景に居あわせる際には、開いたドアから目をさす冬の太陽や、コーヒーショップの手前でほのかに鼻をくすぐるコーヒーの薫りなど、さまざまなものが現れています。このとき、皆さんはどのようにその状況に居あわせているでしょうか。

第一に、居あわせるとき、皆さんはかならずある特定の視点に「位置づけられて」います。冬の太陽が目をさすときは、日の光が入るドアの近くにいるし、コーヒーの薫りがするときは、コーヒーショップの近辺にいます。こうして特定の位置に置かれず、どこにも位置を持たなければ、皆さんは決してその状況に居あわせられません。

第二に、居あわせるとき、皆さんはかならずある特定のしかたで、その状況に「関わりあおう」としています。もちろん、太陽の光そのものは、皆さんが自分で創造したものでなく、受動的に受けとめるしかないものです。けれど、陽光が照らす状況に自分から関わりあおうとすることがまったくなければ、皆さんは何にも向きあっていないので、太陽の光「を」見ているとは言えません。太陽光が石ころに当たる場合、石ころは太陽に関わりあおうとしていませんが、皆さんが太陽光に「居あわせる」ためには、なにがしか太陽に関わりあう可能性に開かれていなければなりません。

「位置づけられる」受動性と「関わりあおうとする」能動性。この二面がなければ、そのつどの状況に居あわせる当事者としての「私」は存在できません。

そして大切なのは、この二面が「身体」なしには決してありえないことです。身体がなければ、「私」はコーヒーショップに近くも遠くもなれません。遠近をくらべる手がかりがないからです。また、身体がなければ、「私」は太陽光を肌で受けとめたり、陽の光に目を上げたりする可能性を失い、太陽に関わりあおうとできなくなります。そうすると、「私」の存在を成りたたせる受動性と能動性の二面は、身体という同じ実在によって体現されることになります。何も持たない「私」の存在に身体がつけ足されるのではありません。「私」は身体としてしか存在できないのです。メルロ＝ポンティの有名な言葉を借りると、「私とは私の身体である」のです。[48]

「私」の身体の現実性：受動性の三つのポイント

身体的な「私」の二面性をさらに詳しくみましょう。

まずは身体の受動性です。位置づけられることで、そのつど現実にある身体の事実がはじめて現れます。皆さん自身を振りかえって、自分の身体にどのように気づくか――どう現れ

48　モーリス・メルロ＝ポンティ（１９６７）『知覚の現象学１』竹内芳郎・小木貞孝訳　３２５頁　みすず書房

るか――を考えてください。

第一に、自分の存在に気づくために、自分の存在に触発されねばなりません。喩えるなら、太陽光に気づくために、はじめに光が目に当たらねばならないようなものです。こうした自己存在への気づきを、ハイデガーやミシェル・アンリの現象学の用語で「自己触発(オート・アフェクション)」と言います。その際、私たちが触れられる具体的実質がなければそもそもまったく触れられないので、自己触発には触発の内容が何か必要になります。その内容となるのが、私たちの身体です。たとえば、生まれたばかりの赤ちゃんを想像してください。自分の存在にはじめて気づくとき、赤ちゃんはすでに誕生して、身体を持っていなければなりません。身体さえあれば、はっきりした人格がなくても、お腹が空いて眠気を感じる自分の存在に気づけます。これと異なり、成長した健康な大人にとって、身体は日常の自明性に沈みこんで、まったく目だちません。けれども、ぐったり疲れて身体が重いとき――『実存から実存者へ』におけるレヴィナスの事例――や、脳卒中の後遺症で手足が麻痺したときに、身体の現実性の逃れられなさにおいて、「私」の存在と身体の不可分さが浮かび上がります。

第二に、この身体の触発は、物質性(実在)と感受性(現れ)の二つの面に区別されます。物質性とは、身体をとりまく周囲のさまざまな実在――机、アスファルト、蜂、太陽など

——にとって、身体が同種の実在であるということです。たとえば、私たちの手は、物理学や生物学が研究する物体や生体でもあれば、散歩しにドアを開くものでもあるし、ご近所さんに挨拶して振り上げるものでもあります。第３章で見た意味の場の多元性におうじて、身体もさまざまなものとして実在します。こうして周囲の実在と同質だからこそ、身体は、コーヒーショップへの近さのような「位置」を持てます。さらに、気鋭のマルクス研究者の斎藤幸平さん（１９８７-）が強調している「物質循環（シュトッフヴェクセル）」——人間と自然の生態学的関係——も、身体が自然と同質だからこそ成りたちます。[49]

これに対して、感受性とは身体が何かを「感じる」こと、つまり、自分でそれとわかる感覚を持つことです。ここには、五感や痛覚だけでなく、上述の「ぐったり疲れて身体が重い」のような情感の色あいを持つ感覚——疲労感など——もふくまれます。この感受性において、身体という実在が身体自身にとって現れ、実感を持って受けとめられます。これは、「肩がこっていたら、肩こりを感じる」のようなありふれたことです。なお、身体が自分にとって現れるとき、身体が関わる他の実在——疲れた身体なら、仕事帰りの重たいバッグ、

49　斎藤幸平（２０１９）『大洪水の前に』堀之内出版

くたびれきった満員の通勤客、車窓から見える夜の街など——もあわせて現れるので、身体の情感は、身体をとりまく環境の全体も色づけます。日本語では「雰囲気」と言いますね。『存在と時間』でハイデガーはこれを「情態性（ベフィンドリヒカイト）」と呼び、「私」（現存在）の根本要素の一つとしました。

　第三に、この二つの面から、「私が、私でないものから、何かを受容する」という狭義の「感覚」の意味がさらにみちびかれます。

　それはまず、身体とそれ以外の実在の影響関係です。たとえば『魂について』でアリストテレスは、「感覚（アイステーシス）」を、他の事物からの作用によって生じる「性質変化（アロイオーシス）」として定義します。[50] つまり、酸素が鉄を酸化させるのと同じように、感覚も、自然のうちに並びたつ二つの実在のあいだの作用関係となります。身体とその他の実在をこうして並べる発想は、近代日本を代表する哲学者である和辻哲郎（１８８９‐１９６０）の「風土」の概念にもみられます。

　さらに感覚には、特に近代以降の哲学において、身体の内と外をわけて、「自分の外の影響を自分の内に受けいれる」という別の意味も加えられます。

　身体の感受性においては、身体だけでなく、身体をとりまく周囲の実在も同時に現れるので、両者のどちらを「より根源的」と言うことはできません。とはいえ、身体と他の実在には、単純に並列できない非対称性もあります。なぜなら、「私」の存在は身体の範囲――義足のような道具もふくめ――においてだけ感受されて、他の実在においては感受されないからです。たとえば、自分の身体があれば自分の疲れを感じられますが、身体ぬきにバッグや通勤客や夜の街だけがあっても「自分の疲れ」は感じられません。そうすると、感覚を、並びたつ身体と事物のあいだの作用関係でなく、「身体の内側にある『私』が、自分の身体の外側の実在から刺激を受けとる」という、「私」を中心とする非対称の関係としてとらえなおせます。こうした感覚概念は、たとえば『純粋理性批判』のカントにみられます。そこでは、「感性（ジンリッヒカイト）」という概念が「我々が諸対象によって触発されるしかたによって諸表象を獲得する能力」と定義されます。[51]

50　アリストテレス（２０１４）『アリストテレス全集　７　魂について　自然学小論集』内山勝利・神崎繁・中畑正志編集　87頁　岩波書店

51　イマヌエル・カント（２００１）『カント全集　４』有福孝岳訳　95頁　岩波書店

「私」の身体の可能性：能動性の三つのポイント

次に身体の能動性をみましょう。関わりあおうとするなかで、身体はさまざまな可能性に開かれたものとして現れます。ふたたび自分のありかたに目を向けて、皆さんが当事者として生きる現場にどのように関わりあっているかを考えてください。

第一に、身体は、そのつど現実にある姿（現実性）をいつでも超えでてしまっています。さきほど、位置づけられることを身体の現実性ととらえましたが、これに対して、可能性に開かれる身体は第三者から「そこ」と指さされるような位置をたえず踏み越えてしまいます。たとえば、図表6で考えてみてください。左の人がバタンと倒れようとするのを、右の人が駆けよって支えようとしています。ここで、支えようとする人の手の位置に注目しましょう。ちょうど皆さんがこの図を見ているように、第三者の視点から考えれば、手はちょうどこの図に描かれた位置にあります。しかし、皆さん自身が当事者となり、駆けよって支えようとしていたら、どうでしょうか。皆さんは自分の手をどの位置に感じるでしょうか。きっと、図と同じ位置でなく、それよりも前方に手が「ある」と感じるはずです。このとき、皆さんは自分がめがける行動の可能性にそくして、皆さんの存在そのものである皆さんの身体を自覚しています。しかも、行動の可能性にそくして自覚されるから、この身体は、第三者が観

図表6 可能性に開かれる身体

察する身体の現実的なありかたを超えて、これからなすべき行動に向けて開かれています。『知覚の現象学』でメルロ＝ポンティは、このように、各人がめがける行動可能性にそくして当事者の身体が現れることを「身体図式（ボディ・スキーマ）」と呼びました。この用語は20世紀初頭の生理学・心理学に由来するものですが、メルロ＝ポンティはこれを当事者である「私」の身体をあらわすものに転用しています。

それでは、当事者が生きている身体図式と第三者から見た現実の身体はどのような関係にあるでしょうか。もちろん皆さんは、鏡や写真にうつして、自分の身体を第三者の視点で振りかえれます。けれど、振りかえることができるために、それに先だって、皆さんは当事者として身体図式を生きていなければなりません。なぜなら、振りかえるよりも前に当事者の視点でみずからの身体を自覚していなければ、何を振りかえるべきかわからなくなってしまうからです。こうして、可能性に開かれた身体は、第三者から見て現実にある身体よりも先だちます。

「私」の可能性が現実性に先だつこうした事情を、サルトルは「実存（エグジステンス）は本質（エッセンス）に先だつ」という有名な言葉であらわしています。[52] また、20世紀のフェミニスト哲学の先駆者であるシモーヌ・ド・ボーヴォワール（1908-1986）は、契約結婚していたサルトルの思想を踏まえ、「ひとは女に生まれるのではない。女になるのだ」と主著の『第二の性』（1949）で高らかに宣言しました。[53] これにより、「女性」という従属的なジェンダーが、身体の自然な現実にもとづく区別でなく、人間の自由（可能性）を抑圧する社会の産物にすぎないことが暴きだされます。

第二に、身体は、他の実在が自分にとって現れる意味の場（第3章を参照、134頁）をあらたに創造します。身体が可能性に開かれるとは、他の実在との関わりかたのレパートリーをあらかじめ身につけているということです。こうして一定の身がまえを持つことで、身体は、他の実在が自分にとって持ちうる意義の範囲を新しく枠づけて創りだします。私たちが生きぬく可能性によって実在の地平が成りたつこうした事態を、『存在と時間』でハイデガーは「企投（エントヴルフ）」と呼びました。

上述の例で言うと、倒れそうな人を支えようとするとき、皆さんにとって、その人は「助けられるべきもの」であるはずです。さもなくば、助けませんよね。けれど、皆さんにその人を支える可能性そのものが文字どおりまったくなかったら、どうなるでしょうか。そのとき、皆さんは「助けられるべきもの」の存在を理解できなくなります。なぜなら、実際に助けられるかは別として、助けようとする可能性すらなければ、「助ける」とは何をすることかわからず、「助けられるべきもの」を理解する前提がなくなるからです。逆に言うと、皆さんの身体が駆けよって支える可能性に開かれているからこそ、「助けられるべきもの」の存在が理解できると言えます。こうして、身体が可能性に開かれることで、それ以前にはなかった実在の意味の場が開放されます。同じことは、20世紀の生物学者ヤーコプ・フォン・

52　ジャン＝ポール・サルトル（1996）「実存主義はヒューマニズムである」伊吹武彦訳『実存主義とは何か』所収　人文書院

53　シモーヌ・ド・ボーヴォワール（1966）『ボーヴォワール著作集　第6巻』生島遼一訳　12頁　人文書院

ユクスキュル（1864‐1944）が取りくんだ、みずからの生体にあわせて「環世界（ウムヴェルト）」（生息環境）を組織する動物――マーキングでなわばりをつくる犬など――にも当てはまります。[54]

とはいえ、第3章でみたとおり、意味の場とは人間がいようといまいと成りたつ実在の現れの状況でした（181頁参照）。それでは、身体が意味の場を創造するとしたら、両者の関係をどうとらえるべきでしょうか。

存在の順序で言うと、身体の可能性より、実在と意味の場の現実性――実現してそこにあること――が先だちます。新しい意味の場を創造するといっても、身体は、場を超越する創造神のような視点にたつわけではありません。まったく反対に、身体は自分が創った場のうちに身を置き、その現実性の一部となるようにしか創造できません。たとえば、助けるべき他人が実在し、さらに、駆けよって支える足もとの地面や呼吸すべき大気など無数の要素が織りなす意味の場が成立していなければ、身体の「助けようとする」可能性も消えさってしまいます。助けるべき他人が現実に実在していなければ、「助けようとする」可能性などないですよね。今日の思弁的実在論のメイヤスーは地球や宇宙を「人類誕生に先だつ自然」として重視します。[55] しかし、そうした自然科学的な自然の現実性は、「私」の身体なしに存在するだけであって、身体がそこに身を置く現実である点では「駆けよって支える状況」と変わりありません。

これに対して、認識の順序では、身体の可能性があってはじめて、現実にある実在と意味の場が理解できるようになります。ちょうどみたように、助ける可能性がなければ、「助けられるべきもの」は理解できません。また、ビッグバンのような「人類誕生に先だつ自然」であっても、観察や実験を当事者の視点からおこなう可能性がなければ、それが存在することを理解できません。

以上をまとめると、身体の可能性が存在するためには意味の場の現実性が前提となる――存在の順序――けれど、身体の可能性がなければ意味の場は理解されない――認識の順序――と言えるでしょう。

第三に、身体が可能性に開かれるありかたから「私が、私でないものに、関わりあえる」という狭義の「能力（アビリティ）」の意味がみちびかれます。この能力には、直接かつ一気

54　ユクスキュル、クリサート（２００５）『生物から見た世界』日高敏隆・羽田節子訳　岩波書店
55　カンタン・メイヤスー（２０１６）『有限性の後で』千葉雅也・大橋完太郎・星野太訳　第１章　人文書院

に事柄をつかみとる面と、事柄をある場において分節化してとらえる面との二重性がありま す。

前者の面では、事物がしかじかの実在として現れる場そのものが把握されます。ちょうど述べたとおり、可能性に開かれることで、身体は「助けられるべきもの」のような実在がありうることそのものを理解できるようになります。この理解は、「私」の身体の可能性——「助ける」——から直接に得られるので、それ以外のものとの関係を必要としません。古代ギリシアでは、実在の真相——イデアや形相——を直接につかみとる認識能力は「知性（ヌース）」と呼ばれました。

後者の面においては、身体は、みずからの可能性に照らして、そのつどの個別の実在を行動の文脈に置かれるものとして受けとめます。そこで事物は、それだけで直接にとらえられず、身体が開く意味の場をかいして間接的に理解されます。たとえば、倒れこむ人を助けようとするとき、眼前のその人は「助ける」という可能性に照らして「助けられるべきもの」として受けとめられます。『国家』でプラトンは、実在の成立を仮定しなければならない認識能力を「思考力（ディアノイア）」と名づけました。また、ハイデガーの『存在と時間』では、文脈において分節化するはたらきが「解釈（アウスレーグング）」と呼ばれます。

哲学者の坂部恵さん（１９３６‐２００９）が整理したように、「私」の能力のとらえかたは、直接知と間接知の二重性をめぐって歴史的に大きく変化しました。[56] 要約すると、これは、直接知が衰退して、間接知に従属させられる歴史です。もともと古代ギリシアでは、実在の真相を直接にとらえる「知性（ヌース）」が最高位に置かれ、分節化された概念知は相対的に低い地位に置かれました。このヒエラルキーは中世のラテン語の「知性（インテレクトゥス）」と「理性（ラチオ）」にも継承されます。しかし、近代以降、特にカントにおいて、「インテレクトゥス」が「フェアシュタント（悟性）」と、「ラチオ」が「フェアヌンフト（理性）」と翻訳されたことで、奇妙な逆転がおこります。というのも、カントが言う「悟性」は判断の力、最高位の「理性」は推論の力であり、どちらも分節化された認識能力だからです。そこでは、直接の認識は最低位の「感性」に閉じこめられてしまいます。坂部さんを補足すると、こうして古代の形而上学的直観が見すてられてゆく歴史の極北に、第２章で取りあげたニーチェの形而上学批判と「神の死」の時代認識があります。かくして、「私」の能力のとらえかたは、人間と世界の関わりの歴史をたどるきわめて重要なメルクマールと

56　坂部恵（２０１２）『ヨーロッパ精神史入門』岩波書店

なります。

4・3 「私」の誕生と死

ここまで、「私」が「私」である同じさ、そして、世界に居あわせる「私」の二面——身体の受動性と能動性——についてお話ししました。それでは、この「私」はどこで始まり、どこで終わるのでしょうか。「私」の始まりと終わりは、一般に「誕生」と「死」と呼ばれます。哲学の問いを生きるのがひっきょう当事者としての「私」であるなら、ここには哲学のもっとも素朴な出発点をめぐる複雑な絡みあいがあります。

誕生と死の広がり

「私」の誕生と死と聞いて、まず思いつくのは、「私」——たとえば景山洋平——が数十年前にどこかで生まれて、数十年後にどこかで死ぬというありきたりな話です。しかし、「生まれる」とか「死ぬ」という言葉にはもっと豊かな広がりがあります。たとえば、子供ができて親となった人はしばしば「生まれ変わった」ように感じるし、親しい家族や友人を亡くした人は「死んだ」ような心持ちになります。さらに、「私」がこうして存在するとき、現生人類が数十万年前に「誕生」したことが前提になります。もっと広げると、核戦争や気候危機によって人類が「滅亡」することも真剣に想定すべきだし、反対に、誰かがあたらしく「誕生」して次の世代がつむがれていくこともありえます。「私」の誕生と死は、「私」の視点から出発しますが、「私」だけの問題ではありません。

この含蓄ゆたかな主題に、哲学者はさまざまなしかたで取りくみました。たとえば高校の倫理で、ソクラテスが哲学を「死の練習（メレテー・タナトゥ）」と呼んだと聞いたことがありませんか。これはほんの一例ですが、哲学の歴史では、死のほうが誕生よりもたくさん論じられてきました。後でお話しするように、その理由は、哲学の問いが身体に閉ざされた一個人としての「私」を超えて、「存在」や「実在」といった主題に向けられたことにあります。ただし、この流れとは別に、「私」と他者との繋がりに着目して誕生を論じた哲学者もいます。誕生と死をめぐるこうした哲学の歴史を踏まえつつ、以下では、「身体を生きる」と「他者と言葉を交わしあう」という「私」のありかたにそくして、「私」の存在の始まりと終わりについてお話しします。

他者との繋がりの物語

まずは誕生からです。すでにみたように、「私」が「私」である同じさの根幹には「他者との言葉の交わしあい」があります。それゆえ、「私」の存在の始まりについて考えるとは、自分とは異なる視点にたつ他者との関係がはじめて成立するとはどのようなことかを考えることです。結論を先どりすると、それは、世代を超えてつむぎあげられる他者との繋がりの物語へと生まれ落ちることに他なりません。

はじめに、自分が生まれたばかりの状況を想像してください。病院だったら、そこには皆さんの親や医療スタッフがいて、皆さんが生まれた分娩室があります。それでは、生まれたばかりの皆さんにとって、この状況はどんなものとして受けとめられるでしょうか。これについて、三つの面を区別できます。

第一に、誕生の状況は、あくまで皆さんにとっての状況だから、そのかぎりで皆さんなしには存在しません。生まれたばかりの赤ちゃんとはいえ、皆さんは一人の人間として皆さんをとりまく状況に居あわせて、そこに関わりあっています。さきほど、身体の能動的な創造性について述べたように、赤ちゃんがその場に居あわせることではじめて、赤ちゃんにとっての保護者も存在するようになります。

第二に、誕生の状況は、「生まれたときには、すでにそこにあった」という意味で、皆さんの存在よりも先にくるものです。当然ですが、親や病院のスタッフは、皆さんが生まれるのと同時に存在を始めたのではありません。保護者と分娩室がすでに現実としてあるから、そこに皆さんが誕生できるのです。やはりさきほど述べたように、身体の可能性は、実在の現実性があってはじめて存在できるわけです。

第三に――ここが一番大切です――誕生の状況はそれ自身の現実性を超えて、異なる視点にたつ他者との言葉の交わしあいに皆さんを直面させます。それは、当座の分娩室では、親や医療スタッフのような目の前にいる他者です。他にも、皆さんが生まれ落ちた状況には、とっくの昔に死んでいるけれど、後世の人間にメッセージを残した人びとの痕跡となる無数の物（実在）があります。たとえば、皆さんが生まれる前に亡くなったお祖父さんお祖母さんの形見などが考えられるし、広げて言えば、江戸時代にさかのぼる伝統的な民芸品、さらには２０００年以上も前に刑死したソクラテスの対話の記録だって挙げられます。もちろん、皆さんは、すでに死んだ他者に語りかけて自分の言葉を受けとめてもらうことはできません。けれど、その他者が遺したメッセージを皆さんが受けとめることはできます。同じように、皆さんは皆さん自身の死を超えて、将来の他者にメッセージを遺して託すこともできます。

「歴史」をつむぐということ

こうしてみると、誕生して存在が始まるとき、皆さん自身である「私」は、世代を超えてつむぎあげられる他者との言葉の繋がりのなかに生まれ落ちる、と言えます。ここには、言葉の本来の意味での「歴史（ヒストリー）」の原現象があります。

最古の歴史家の一人である古代ギリシアのヘロドトスは、ギリシアの都市国家連合とペルシア帝国が戦ったペルシア戦争について、『歴史（ヒストリアイ）』をあらわしました。同書の冒頭でヘロドトスは、ギリシア人とペルシア人が生きた痕跡が時とともに忘れ去られないように、記録や伝聞を「調査（ヒストリア）」したと述べます。つまり、「歴史（ヒストリー）」の出発点は、「私」よりもまえに死んだ人びとの痕跡をあつめて、「私」が死んだあとも生きる人びとに託してゆくことにあるわけです。この点で、世代を超えて歴史という物語を語りつぐ行為は、「私」の存在のありかたに深く根ざしたものです。『存在と時間』でハイデガーはこれを「歴史性（ゲシヒトリヒカイト）」と呼びます。

注目すべきは、「私」の誕生とその歴史性が、さきほど示唆した「死」を重視する哲学の伝統と緊張関係にあることです。ここには、誕生と死が絡みあう両義的なあわいの一面があります。哲学者の森一郎さん（1962-）が強調したように、[57] 20世紀を代表する政治哲学者のハンナ・アーレント（1906-1975）が、この点をもっとも鋭く浮き彫りにしました。彼女は、一時期はハイデガーと恋愛関係にあり、また、元恋人が協力したナチス・ドイツから亡命せざるをえなかったユダヤ人でもあります。

主著の『活動的生』でアーレントは、「歴史（ゲシヒテ）」を、作者——神や歴史法則——がいない物語として性格づけました。[58] この物語は、明確な始まりも終わりもなく、公共の場に現れた登場人物——ワシントンやナポレオンなど——の存在をあらわにするだけです。これにより、アーレントが「誕生性（ナタリテート）」と呼ぶ、世代を超えてつむがれる、かけがえないおのおのの人びとの存在の始まり、つまり誕生が証言されます。こうして世代を超えて生の痕跡——不朽の名声など——が受けつがれるかぎり、個々の人びとはある種の不死性にあずかります。アーレントは、この不死性に、公共の言論によって政治を営む市民の「活動的生（ビタ・アクティーバ）」の特徴をみました。[59]

57　森一郎（2013）『死を超えるもの』東京大学出版会
58　参照：ハンナ・アーレント（2015）『活動的生』森一郎訳　みすず書房

しかしアーレントによれば、プラトンなどの哲学者が、人間を超える永遠の事象――第2章でお話しした「存在」――をめざしたことで事情が一変します。なぜなら、永遠の事象をめざすうえで、ひっきょう有限なものでしかない現世の不死性はかえって邪魔であり、むしろ「死」によって有限な生を超越すべきだからです。ソクラテスが「死の練習」を説いたのも、永遠のイデアを眺めるためでした。森さんがまとめたように、アーレントは、哲学者のこの「観想的生（ビタ・コンテンプラティーバ）」と市民の「活動的生」の対立から、西洋における政治の衰退が始まるとみています。[60]

誕生と歴史性を重視するアーレントの主張はとても大切です。なぜなら、哲学者がどれほど人間を超える永遠性を求めようとも、哲学者が一人の当事者として他の市民とともに誕生したことに変わりはないからです。身体を超えて永遠の存在をめざす死の哲学は、世代を超えてつむがれる人びとの誕生の物語を前提としています。

死へ臨む態度

次に、死そのものに焦点をあてましょう。確かに、身体の終わりとしての死よりも、誕生のほうが根源的な出来事です。とはいえ、死の概念の意義はこれだけではありません。以下では、まず「身体を生きる」面に照らして、哲学の歴史において「私」が死に関わりあった様子を整理します。そのうえで、次に「他者と言葉を交わしあう」という「私」の根幹に関わる死のありかたについてお話しします。

「私」の身体には現実性と可能性の二つの面があることをさきほど確認しました。これを言い換えると、身体は、周囲の実在と同じ物としての性格と、周囲の実在に関わりあう能動性をあわせ持っています。それでは、両者は「私」が死んだらどうなるでしょうか。まず当然、環境に能動的に関わりあう身体の可能性が失われます。しかし、現実的な物としての身体は、いかなるものとして現れるかが変わるだけで、実在としては残りつづけます。「私」の死体は、遺族がとむらうべき遺体や微生物が消化する有機物、火葬後の灰や水蒸気として、あいかわらず実在します。その際、身体は自分の存在をもはや感じていません。死の間際において、「苦しい」とか「疲れた」といった身体のおのれ自身への現れ（自己触発）はしだいに減衰し、最後に零度になって、「私」は存在しなくなるでしょう。けれど、「私」の身体がそ

59　参照：注釈58と同書
60　参照：注釈58と同書

の一部だった実在の果てしないネットワークは残るし、実在がそのつど成りたつ事実としての存在も残ります。

とはいえ、これだけでは事情を十分にとらえていません。なぜなら、死における「私」の身体のこうしたありかたは、あくまでまだ生きている「私」が考えたものだからです。実際に死んでしまったら、こんなことを考えられませんよね。逆説的ですが、死んで「私」の可能性が失われるありかたに対して、存命中の「私」がみずからの可能性として関わりあっているのです。そうすると、死をいかなるものとしてとらえるかによって、「私」が死に対してどんな態度で臨んでいるかも変わってきます。

身体の死のありかたと死に臨む態度のこの繋がりをより詳しくみましょう。ちょうどお話しした「身体が可能性を失って、実在と存在は残りつづける」という事態は、二つの対照的なしかたで理解できます。第一の場合、身体とともに「私」はきれいに消えさって、「私」とはなんの関係もない実在のネットワーク――自然など――と存在だけが残ります。ここで、死は「私」にとって自分の生とはまったく関係がなくなり、それについて思いわずらってもしかたないものとなります。

しかし身体を超える実在のネットワークとその存在を理解している以上、第二に、「私」

はかぎりある身体を超えて、実在のネットワークと存在になにがしか結びつけられている、とも考えられます。この点に重きを置くと、死は、「私」が消滅する否定的な現象でなく、「私」を包みこむより大きな全体の一部としてあらためて誕生する肯定的な出来事として、おおいに想いをいたすべきものとなります。

死をめぐる哲学の変遷

この両極もまた、哲学の歴史をつらぬく誕生と死のあわいの一つの局面です。古代ギリシアでは、エピクロス派のエピクロス（紀元前３４１‐前２７０）が、死を身体が自然（原子）のうちに分解することととらえて、感覚できず「なんでもない」死を恐れるのは愚かだと説きました。[61] これとはまったく反対に、プラトンが描くソクラテスは、身体という牢獄を脱してこそ永遠のイデア（万物の真理）を観照する魂の不死のありかたに戻れると言います。[62]「死の練習」というソクラテスの言葉は、このような死への態度を映します。また、プラトンの

61　参照：エピクロス（１９５９）『エピクロス』出隆・岩崎允胤訳　岩波書店
62　プラトン（２０１９）『パイドン』納富信留訳　光文社

こうした考えは後世のキリスト教神学に受けつがれ、そこでは、身体にかぎられた現世の生を超えて、魂が神と一つになることに、永遠の生命にあずかる道が求められました。

近代哲学に目を向けると、一方では、『モナドロジー』（１７１４）のライプニッツが、彼の「モナド」概念にそくして、死の哲学的重みを消しさります。モナドとは、「私」をふくむ際限なく多様な実在（実体）をあらわす概念です。こうして全実在を一元的にとらえる立場から、ライプニッツは、身体と魂の分離というプラトン＝キリスト教的な想定を超えて、死も誕生もモナドの果てしない変容の一面にすぎない、と主張しました。[63]

他方、ドイツ古典哲学では、身体を生きる「私」がみずからにとって本質的な理想や苦悩に関わりあうありかたとして、死がさまざまなしかたで重視されます。『実践理性批判』（１７８８）でカントは、実践理性の道徳法則——「私」の本性に由来する道徳——にしたがって生きることで幸福になるという理想（最高善）について、この理想を果てなく追求するべく、理性は魂の不死を「要請（ポストゥラート）」せざるをえないと言います。[64]

これと対照的なのが、カント哲学を継承したアルトゥール・ショーペンハウアー（１７８８－１８６０）です。主著の『意志と表象としての世界』（第一版：１８１９年　第二版：１８４４年　第三版：１８５９年）では、世界に関わりあうよう身体を駆りたてる本能的な「意志」が、目標が満たされない苦悩に永遠にさいなまれるという厭世的な人間観が示されます。そして、この苦悩から救済してくれるのは、生きる意志を否定する「死」しかないとされます。[65]

さらに20世紀では、ハイデガーが、身体を生きる「私」と他のあらゆる実在が成りたつ「存在」の事実にそくして、独自の死の概念を打ち出しました。彼が着目するのは、第2章でみた、存在の「いつでもそこにあるが、当たりまえすぎて、常に隠れてしまう」という不確かさです。この不確かさにおいて、「私」(現存在)は、周囲の実在のネットワークもすべてひっくるめて、みずからの実在が終わりを迎える死の可能性にいつでも直面しています。37歳の若さで刊行した『存在と時間』では、「私」の存在の終わりにもっぱら焦点があてられますが、後期哲学では全実在の存在の不確かさにさしかけられた無数の人びと(「死すべきものども〈シュテルプリッヒエン〉」)の可死性が語られています。どちらの時期でも、存在

63 ライプニッツ(2019)『モナドロジー』谷川多佳子・岡部英男訳 岩波書店
64 カント(1979)『実践理性批判』波多野精一・宮本和吉・篠田英雄訳 岩波書店
65 アルトゥール・ショーペンハウアー(2004)『意志と表象としての世界Ⅰ・Ⅱ・Ⅲ』西尾幹二訳 中央公論新社

の不確かさに臨む可死性を自覚して引き受けることこそが、「私」自身を真に肯定する道であるのは変わりません。なお、こうした議論は、二つの世界大戦と冷戦をへて、人類がみずからの技術によって絶滅する可能性がリアルに感じられる時代になされたものです。ハイデガーのユダヤ系の弟子であるハンス・ヨナスは、『責任という原理』（１９７９）で、まだ存在しない未来世代に対する現代世代の責任を主張して、破滅的な技術への抵抗を論じました。[66]

西田が詠んだ死へ臨む「私」

さて、ここまでまとめた哲学史上の死の概念は、さきほどみた誕生の出来事を前提してはじめて成りたちます。なぜなら、身体とともに消えさるために、「私」はまず、世代を超える誕生のつらなりのなかに生まれ落ちていなければならないからです。とはいえ、哲学にとって死全般が二次的な問題になるわけではありません。もっと根本的な死の概念だってありえます。

誕生と死を別のものでなく、「私」が存在するというただ一つの出来事の両面としてとらえてみましょう。確かに、誕生して存在が始まる瞬間、「私」は世代を超える人びとの繋がりに編みこまれます。けれど、誕生の出来事は、まったくもって偶然のものです。「私」が過去世代の痕跡をせおって誕生しなければならなかった理由などないし、また、「私」の痕跡を受けとめてくれる将来世代の他者がいる保証もどこにもありません。世代を超える人びとの繋がりが永久に失われ、誰もいなくなるという可能性は、いくらでも考えられます。たとえば、10億年後の宇宙に人類はたぶん存在しないし、そもそも生命が存在しないこともありそうです。そこまでいかずとも、ヨナスが論じたように、少なくとも人類がみずから自身の技術で絶滅する可能性は決して無視できません。こうして、他ならぬ誕生の出来事そのものに、「私」をふくむすべての人びとが永遠に失われる儚(はかな)さがあります。誕生は、命そのものの、もろさという、もっとも根源的な「死」と表裏一体です。

それでは、この根源的な死の可能性に臨むとは、「私」にとってどんなことでしょうか。直感的に考える手がかりとして、西田幾多郎の有名な歌を引用します。[67]

わが心深き底あり喜も憂の波もとゞかじと思ふ

66 ハンス・ヨナス(2010)『責任という原理[新装版]』加藤尚武監訳 東信堂
67 西田幾多郎(2005)『西田幾多郎全集 第十一巻 小篇ほか』467頁 岩波書店

これを詠んだとき、西田は52歳でした。学界ではすでに名声を博していましたが、長男や妻がなくなり、娘も病臥（びょうが）するなど、家庭では耐えがたい悲しみにくれる日々だったと伝えられています。哲学者の嶺秀樹さん（１９５０-）によれば、この歌では、すべての実在がそのつど成りたつ事実——本書で「存在」と呼ぶもの——の偶然さに居あわせる「私」のありかた、つまり死の可能性に臨む「私」の姿が描かれています。[68] 西田本人はとても硬い言葉づかいをする人なので、「絶対無の場所の自己限定」と言ったりします。

この歌で注目してほしいのは、「わが心」の「深き底」には「喜びも憂の波」も届かない、といわれることです。ここには、喜びや悲しみの情動を感じる身体よりも根底的な次元に、西田が「私」の根底をみていたことがあらわれています。

この「深き底」を「思ふ」ことが、死に臨む態度としてどんなものかを想像してください。思いをこらしつつ、「私」は、家族をふくめ誰からも言葉が届かず、誰にも言葉が届かない絶対的な静けさへと沈みこんでいきます。どれほど語ろうとしても、底知れない虚無のうちへと、すべての語が砕けてゆきます。そのとき、「私」は考えうるかぎりもっとも深く孤独です。なぜなら、「私」だけでなく、世代を超えて繋がるすべての人びとの痕跡が永久に失われる可能性に向かいあうからです。とはいえ、この孤独は、「私」一人でいだかれるものではありません。そうでなく、過去と将来のすべての人びとと共に、死に臨む「私」は孤独です。

４・４　問いかけられて、「私」の自由が始まる

第４章では、「私」をめぐる基本問題として、同一性、身体の受動性と能動性、そして誕生と死についてお話ししてきました。これらは、皆さん一人一人である「私」の成りたちを考えるために、はじめに取りくむべき問題です。それでは、「私」にとって、本書の主題である「問うもの」としての「人間」はどんな意義を持つでしょうか。

お互いを揺さぶる「私」と「他者」

ここまで、「私」の根底には他者との言葉の交わしあいがあると繰り返し述べました。こ

68　嶺秀樹（２０１４）「存在の悲哀と無の慈しみ」*Heidegger-Forum* Vol.8

のことを、言葉を交わすものの身体もふくめて、もっと具体的にみましょう。そこで浮かび上がるのは、「私」と他者の痛切な緊張関係です。『存在と無』（１９４３）のサルトルは、これを「私」と他者のまなざしの相克として生々しく描きだしました。[69]

それによると、まず、当事者としてそのつどの状況に居あわせる「私」は、そのつど、今ここで居あわせるものとして、他の人には決して替われない唯一無比のものです。他人の姿はいくらでもたくさん眺められますが、「私」自身は今ここにしかいません。しかし、同じことは他者にも言えます。他者だって自分の視点でそのつどの状況に居あわせるのだから、当人にとっては自分が唯一の存在であり、この「私」はその他大勢の一人にすぎません。それでは、そんな「私」と他者が向かいあったら、どうなるでしょうか。自分が本当に唯一無比のものかおぼつかなくなり、お互いに向かいあうなかで自分の存在を不安に感じるはずです。この不安は、「私」の根底に他者との関わりがあるかぎり、避けられません。「私」の存在そのものに根ざす他者とのこの原初的相克は、サルトル以後、アーレントやフーコーの哲学と合流して、「境界（ボーダー／バウンダリー）」のキーワードのもとに政治思想やジェンダー論などさまざまな分野に応用されています。[70]

サルトルの答え

さて、この原初の相克に巻きこまれることは、落ちつかなくさせる出来事です。けれど、この動揺にさらされるなかで、「私」にとってみずから自身が問題となり、そこではじめて「私」の存在が「おのれを示し」ます。この意味で、「私」と他者の原初的相克は、「私」の存在を「見えるように」します。ここにも、第1章でみた「事象」と「問い」の構造があります。

「私」の存在を見えるようにする「問うもの」の姿は、他ならぬサルトルの「実存主義はヒューマニズムである」において浮上します。本人の回想によれば、フランスがドイツ軍に占領されていた第二次世界大戦のさなか、サルトルはあるフランス人青年から相談されました。ナチス・ドイツへのレジスタンスに参加したいが、家に残される老母を思うとなかなか踏み切れない、だから、どちらの道を進むべきか教えてほしい、と。これに対して、サルトルはあっけらかんとこう答えます。[71]

69　ジャン＝ポール・サルトル（2007／2008）『存在と無　Ⅰ・Ⅱ・Ⅲ』松浪信三郎訳　筑摩書房

70　参照：河野哲也（2014）『境界の現象学』筑摩書房／杉田敦（2005）『境界線の政治学』岩波書店

君は自由だ。選びたまえ。つまり創りたまえ。

サルトルがこの言葉であらわしたかったのは、実存の主体的自由です。それは、いかに生きるべきか誰も教えられないなかで、自己のありかたをそのつど自分で選択して創りだす自由です。こうした自由観によりサルトルは、さきほどお話しした、現実性を乗り越える「私」の可能性を極大化しました。この自由は、誰にもまったく支えてもらえない過酷なもので、「私」を不安にさせます。彼が用いる喩えで言うと、断崖絶壁の縁に立つとき、墜落することへの恐怖だけでなく、進んで身を投げることも選べてしまう自分の自由におもわず戦慄してしまう感情が、自由の不安です。この不安は、生きて可能性に開かれてある「私」の存在そのものを現れさせます。

しかし、サルトルがおもてだって述べなかったことを補足しなければなりません。それは、「君は自由だ」という彼の力強い答えだって、苦悩する若者が「どうすればいいのか」と問いかけなければ、決して出てこなかったことです。問いかけて、当事者の生の不確かさを「見えるようにする」のでなければ、そもそも選択する必要がなく、可能性に開かれる自由も「おのれを示せ」ません。この意味で、「私」という哲学の根本事象の根底にも、「問うもの」としての「人間」が前提されています。

71　注釈52と同書

エピローグ

本書のお話はここまでです。ここまで読んでくださり、ありがとうございました。

最後に、本書のもっとも大切なメッセージをもう一度強調します。それは、哲学の究極の問題が皆さん自身であることです。お互いに問いかけあう皆さんの対話において、哲学の全事象が集約され、そこからあらためて現れでます。この対話は、哲学者だけのものでなく、ごく当たりまえの日常を生きるすべての人びとが交わしあう言葉に繋がっています。ソクラテスがアテナイの一市民でありつづけたように、哲学の問いは、日常の言葉のただなかにあって、その日常そのものがいかに謎に満ちたものか、あらためて呼びさますだけです。

その一環として「存在」「実在」「私」をめぐる基本論点を紹介しました。これは、哲学が取りあげる事象の全体を、存在の順序にそくして概観したものです。かくして皆さんは、哲学が取りあげるさまざまな事象を見晴るかす視点にたっています。つまり、哲学者にかぎらず、科学者であれ、芸術家であれ、その他なにものであれ、人間が関わりあう事象の総体的な広がりをとらえる視野が、ここで開かれます。

本書で取りあげられなかった哲学の問題はもちろんたくさんあります。それは、認識の順序にそくして、「私」が、「私」自身と実在と存在に関わるありかたを検討する課題です。「私」は、他者や自分にどのように関わりあっているでしょうか。また、「私」は他者とともに、多様な実在——自然科学的な自然をふくめ——に、さらに、世界そのものの事実である存在と神に、どのように関わりあっているでしょうか。私たちが事象に関わるこれらの秩序の一般構造を明らかにする一環として、知識論や行為論と呼ばれる哲学の大きな問題領域が生まれます。さらに、伝統的区分における理論哲学、倫理学・社会哲学・政治哲学、そして美学や宗教哲学は、私たちが事象に関わりあう秩序のありかたとしてとらえなおされます。

存在と認識の順序にそくするこれらの課題は、最後には、おのれを示して現れでる「事象」と見えるようにする「問い」の関係によってまとめあげられます。そうしてはじめて、私たち自身に他ならない「問うもの」としての人間も真に具体的な姿で浮かび上がるでしょう。それは、論理的に明晰な体系をつくりあげるという学者以外には大して重要でない目的のためではありません。そうでなく、私たちが生きるありかたのすべてが新しく生まれいでるその姿を真に受けとめるためです。その姿をみずから自身のうちに見いだし、そこから自分の問いをいだいて、皆さんが現実に新しく関わりなおしていく、そのために哲学の問いはあります。

本書は、筆者が勤めてきた関西学院大学と東京大学でおこなった授業をもとにしています。手さぐりで自分が進むべき道を問うていた私の授業は決して付きあいやすいものではなかったはずです。辛抱強く授業に付きあってくれた学生の皆さんに、特に、本書の草稿を読んで有益なコメントをくださった関西学院大学の八木緑さん、青井興太郎さん、玄野ひかるさん、加登陸さん、谷口龍星さん、能丸あずささんに感謝します。また、本書の原稿に大変丁寧な助言をくださった光文社の河合健太郎さんに心からお礼もうしあげます。

景山洋平

景山洋平（かげやまようへい）
1982年、三重県生まれ。東京大学文学部哲学科卒業、東京大学大学院人文社会系研究科博士課程単位取得満期退学。日本学術振興会特別研究員、東京大学大学院総合文化研究科・教養学部専任講師を経て、現在、関西学院大学大学院文学研究科・文学部准教授を務める。専門は現象学、解釈学、近代日本哲学を中心とし、現代における存在論と人間論の再構築を目指している。著書に『出来事と自己変容　ハイデガー哲学の構造と生成における自己性の問題』（創文社）がある。

「問い」から始まる哲学入門

2021年10月30日初版1刷発行

著　者 ── 景山洋平
発行者 ── 田邉浩司
装　幀 ── アラン・チャン
印刷所 ── 萩原印刷
製本所 ── ナショナル製本
発行所 ── 株式会社光文社
東京都文京区音羽1-16-6（〒112-8011）
https://www.kobunsha.com/
電　話 ── 編集部03(5395)8289　書籍販売部03(5395)8116
業務部03(5395)8125
メール ── sinsyo@kobunsha.com

 ISBN 978-4-334-04570-8

1150
「孤独」という生き方
「ありのままの自分」でいることのできる、自分だけの居場所を求めて
織田淳太郎
自らの体験に加え、孤独な生き方を実践する人たちへの豊富な取材を基に、人間の根源的な欲求を突き詰め、真に「生きる」とはどういうことかを考察する実用的ノンフィクション。
978-4-334-04558-6

1151
ニュースの未来
石戸諭
テレビ、新聞、出版…ニュースを巡る環境が悪化するなか、本当にこれらのメディアに未来はないのか。気鋭のノンフィクションライターが、ニュースの本質とその未来に迫る。
978-4-334-04559-3

1152
「ボヘミアン・ラプソディ」の謎を解く
〝カミングアウト・ソング〟説の真相
菅原裕子
同名映画も大ヒットした「過去1000年で最も重要な曲」にフレディ・マーキュリーが込めたメッセージとは。膨大な資料をもとに、近年ささやかれている、ある「仮説」を検証。
978-4-334-04537-1

1153
日本の食と農の未来
「持続可能な食卓」を考える
小口広太
食の大部分を海外に依存している日本。国内の農業は高齢化や後継者不足が進み、待ったなしの状況にある。今、私たちは何を考え、行動すべきなのか。「等身大の自給」について考える一冊。
978-4-334-04560-9

1154
新聞記者、本屋になる
落合博
新聞記者であった著者はいかにしてひとり本屋を始めることができたのか。定年目前の58歳、子どもは3歳、書店員経験は0。第二の人生、妻の反対を押し切っての本屋開業記!
978-4-334-04561-6

1155
ルポ コロナ禍で追いつめられる女性たち
深まる孤立と貧困
飯島裕子

臨時休校、おうち時間、休業補償、テレワーク……。コロナ禍で生じた出来事の多くでより深刻な状況に陥ったのは女性だった。その背景にあるものを、当事者への取材から探る。

978-4-334-04562-3

1156
日本のジーパン
林芳亨

米国で生まれたジーンズがいかに日本で独自の発展を遂げたのか？ ジーンズ界の重鎮である著者がジーンズの歴史や、日本における受容のプロセス等「ジーパン愛」を語り尽くす。

978-4-334-04563-0

1157
脳の寿命を延ばす「脳エネルギー」革命
ブドウ糖神話の崩壊とケトン体の奇跡
佐藤拓己

巨大で大食漢な働き者「脳細胞」を長持ちさせる助っ人とは!? ヒトの脳の発達を可能にしたエネルギーとしてケトン体に注目。認知症・うつを防ぎ健康にも役立つ栄養摂取法を考察する。

978-4-334-04564-7

1158
田舎暮らし毒本
樋口明雄

田舎暮らしにスローライフは存在しない！ 東京から自然豊かな地方に移住して20年の小説家が満を持して贈る、田舎暮らしのノウハウと闇。本書を読まずして移住するべからず！

978-4-334-04565-4

1159
知ってるつもり
「問題発見力」を高める「知識システム」の作り方
西林克彦

「わからない」を見つけるために「きっちりわからなくなる」には？ ロングセラー『わかったつもり』刊行から16年。今最も求められる「問題発見力」を身につける方法を解説。

978-4-334-04566-1

光文社新書

1160
大下流国家
「オワコン日本」の現在地
三浦展

経済力の低下、人口縮小、ジェンダー格差、メディアの怠慢……この国はどこまで堕ちてゆくのか？　80万部超のヒット作『下流社会』から16年、最新データを基に再び日本を斬る。

978-4-334-04567-8

1161
名画の生まれるとき
美術の力Ⅱ
宮下規久朗

人間にとって必要不可欠な「美術の力」とは？　「名画の中の名画」から「美術鑑賞と美術館」「描かれたモチーフ」「信仰と政治」「死と鎮魂」まで。美術史家と読む、美術の本質に迫る55話。

978-4-334-04568-5

1162
野蛮な大学論
酒井敏

大学人よ、学問の本道に戻って野蛮さを取り戻せ！　「京大変人講座」主宰の京大名物教授が、大学、アカデミズム、教養の本質をズバリ指摘する。豊かな社会のための大学改革論。

978-4-334-04569-2

1163
「問い」から始まる哲学入門
景山洋平

2600年にわたる哲学者の語りあい。そこでは何が問われたのか。なぜ「問い」続けてきたのか——。「問い」の歴史とその意味を知る、不確かな世界を生き抜くための哲学入門。

978-4-334-04570-8

1164
物理学者、SF映画にハマる
「時間」と「宇宙」を巡る考察
高水裕一

フィクションが未来の科学を導く⁉　タイムトラベルから星間飛行まで、物理学者とともに探る一度は夢見たSF世界の可能性。科学の目で見直せば、SF映画はもっと楽しくなる！

978-4-334-04571-5